La maladie d'Alzheimer

Hélène Brunschwig, *N'ayons pas peur de la psychothérapie*

Rica Etienne, Harry Ifergan, *Mais qu'est-ce qu'il a dans la tête ? 1 000 Astuces pour mieux comprendre votre enfant, de 0 à 7 ans*

Rica Etienne, Harry Ifergan, *Mais qu'est-ce qu'il a dans la tête ? 1 000 Astuces pour mieux comprendre votre enfant, de 6 à 12 ans*, à paraître à l'automne 1999

Isabelle Jalenques

La maladie d'Alzheimer

HACHETTE
Littératures

Sommaire

GUIDE DES PRISES EN CHARGE

Présentation

La maladie d'Alzheimer et les troubles qui lui sont apparentés représentent l'un des plus importants défis auxquels la médecine devra faire face au cours des décennies à venir. L'allongement de l'espérance de vie et son corollaire, le vieillisement de la population, contribuent, surtout dans les pays occidentaux, à l'accroissement régulier du nombre de personnes atteintes par cette maladie. De plus, à l'origine d'une souffrance humaine considérable, elle soulève des questions qui débordent le domaine strictement médical pour toucher aux fondements éthiques, économiques et sociaux de la santé publique.

La maladie d'Alzheimer appartient à une catégorie des affections cérébrales qui altèrent la personnalité du sujet atteint et détériorent progressivement son fonctionnement intellectuel, compromettant ses possibilités d'adaptation. L'ensemble de ces maladies est désigné par le terme médical de « démence ». Tout en se traduisant par des manifestations cliniques souvent convergentes, elles dépendent de causes très diverses. Il n'est plus question, à l'heure actuelle, de les considérer comme le résultat d'un vieillissement précoce du cerveau. Bien que liées à l'âge, elles résultent de processus pathologiques et non d'un vieillissement normal.

Nous devons préciser la terminologie employée dans cet ouvrage. Le terme de « maladie d'Alzheimer » sera pris au sens large pour plus de commodité, il correspond globalement à celui utilisé par les médias et diffusé auprès du grand public. Toutefois, il n'est pas sans ambiguïté. En l'état actuel des connaissances médicales, la « démence de type Alzheimer » s'applique généralement à différentes maladies dont les manifestations cliniques et l'évolution varient en fonction, notamment, de l'âge auquel surviennent les premiers troubles. Sauf cas particulier, nous avons évité le maintien de ces distinctions qui présentent avant tout un intérêt scientifique. Le terme de « maladie d'Alzheimer » renvoie donc à toutes les formes pathologiques, aussi bien celles qui ont un début précoce (préséniles, avant 65 ans) que tardif (séniles, après 65 ans).

Si ce type de maladie a longtemps laissé peu d'espoir de guérison ou de prise en charges du fait de possibilités d'interventions médicales et sociales très limitées, la situation actuelle est différente. Des avancées sensibles concernant le diagnostic, l'abord thérapeutique et la réponse sociale ont été réalisées récemment. La recherche, à l'origine de progrès considérables ces dernières années, laisse espérer que l'on pourra, dans un avenir relativement proche, ralentir le cours de ces pathologies, voire les prévenir. Mais, actuellement, il reste beaucoup à faire pour soulager les malades et les familles qui assument, dans sa plus grande partie, aidés par des médecins, des soignants et des associations, la charge affective et matérielle imposée par la maladie. C'est précisément à l'entourage immédiat des malades qu'est destiné cet ouvrage. Ainsi, se voulant proche des préoccupations de la vie quotidienne, s'efforce-t-il d'élaborer une synthèse de l'ensemble des données actuelles sur la question, de même que des réponses ou des aides qui peuvent être apportées, tout en limitant au minimum le vocabulaire spécialisé.

C'est une expérience quotidienne, dans le cadre de notre pratique médicale, auprès des malades, de leurs familles et de tous ceux qui cherchent à les aider, à différents niveaux, qui a suscité le désir d'écrire cet ouvrage et en a nourri bien des pages. Le but fixé sera atteint si, malgré ses imperfections, ce livre contribue à aider, accompagner ou soulager ceux qui sont confrontés à la maladie d'Alzheimer.

Démences dégénératives	Démences vasculaires
• **Démences «corticales»** * Démences de type Alzheimer – forme présénile = maladie d'Alzheimer – forme sénile = démence sénile de type Alzheimer * Démence de type frontal (maladie de Pick, atrophie frontale spécifique, démence associée à une maladie du motoneurone) * Atrophie corticale focale avec démence • **Démences « sous-corticales »** au cours de : maladie de Parkinson, maladie de Huntington, paralysie supranucléaire progressive, atrophies multisystématisées • **Démences « cortico-sous-corticales » :** démence à corps de Lewy diffus, dégénérescence cortico-basale, démence méso-cortico-limbique	• démence par infarctus multiples, démence par infarctus unique, état lacunaire, maladie de Binswanger, CADASIL, infarctus des territoires de jonction, angiopathie amyloïde cérébrale, vascularites cérébrales

Démences mixtes

• part vasculaire

• part dégénérative

Tableau 1 :

Démences secondaires

* Troubles psychiatriques/ pseudo-démences (dépressives, …)

* Démences toxiques et carentielles :
alcoolisme chronique, intoxications médicamenteuses ou autres intoxications, carences vitaminiques (B1, B12, PP, folates)

* Démences métaboliques et endocriniennes :
troubles métaboliques (calcium, glycémie), défaillance d'organes (poumons, foie, reins), maladie de surcharge (en particulier maladie de Wilson), affections endocriniennes (thyroïde, surrénales)

* Démences neurochirurgicales :
hématome sous-dural, hydrocéphalie à pression normale, tumeur cérébrale bénigne…

* Démences infectieuses et inflammatoires :
neurosyphilis, méningite chronique, abcès cérébraux, sarcoïdose, etc.

* Démences néoplasiques :
métastases cérébrales multiples, gliomes, syndromes paranéoplasiques

* Démences inflammatoires :
formes avancées de sclérose en plaques, etc.

* Démences infectieuses :
encéphalopathies spongiformes subaiguës (maladie de Creutzfedt-Jakob, etc.), complexe cognitivo-moteur lié au VIH, séquelles d'encéphalites aiguës virales, leucoencéphalopathie multifocale progressive

* Démences post-anoxiques, post-radiques, post-traumatiques, liées à des affections dysmétaboliques de l'adulte, des épilepsies myocloniques progressives

---

Classification des démences.

Repérer

Qui est atteint ?

La maladie d'Alzheimer et les troubles de mémoire apparentés se rencontrent fréquemment chez les personnes âgées. Toutefois, une évaluation précise en termes quantitatifs s'avère relativement difficile. Les chiffres les plus couramment cités s'élèvent à 4 % de la population des plus de 65 ans, ce qui représenterait, en France, entre 250 000 et 300 000 personnes. En fait, le pourcentage des gens touchés augmente rapidement avec l'âge : inférieur à 1 % entre 65 et 70 ans, il avoisine 10 % à partir de 85 ans. Une étude en cours dans le département de la Gironde, baptisée « enquête Paquid » (voir tableau 2), confirme cette augmentation majeure avec l'âge du nombre de nouveaux cas de maladie survenant chaque année – environ 150 000 en France métropolitaine.

L'accroissement du nombre des personnes âgées au sein de la population sera l'un des événements démographiques majeurs des prochaines décennies. En France, en 1990, les plus de 60 ans étaient environ 11 millions, soit 20 % de la population. Cette part devrait atteindre 29 % en 2025 et 34 % en 2050. A cette date, les plus de 75 ans auront probablement triplé et les plus de 85 ans quintuplé. La maladie d'Alzheimer et les troubles de mémoire apparentés étant en grande partie liés à l'âge, un nombre croissant de personnes seront concernées dans les années à venir, le chiffre avancé est de 500 000 en 2020. Aux Etats-Unis, il atteint aujourd'hui 4 millions et passerait à 10 millions en 2040.

Age	Incidence	Population	Nombre de nouveaux cas annuels de démences pour la France métropolitaine
65-69	0,24	2 722 928	6 500
70-74	0,67	1 594 816	10 500
75-79	1,77	1 690 749	30 000
80-84	3,49	1 313 300	46 000
85-89	5,00	724 156	36 000
> 90	8,26	310 154	25 500

Tableau 2 : Enquête PAQUID 1992. Incidence (nombre de nouveaux cas de la maladie survenant tous les ans) de la démence en Gironde et estimation pour la France métropolitaine.

D'après DARTIGUES JF, ORGOGOZO JM, LETENNEUR L, BARBERGER-GATEAU P : Bases épidémiologiques françaises pour le traitement des syndromes démentiels et la détérioration intellectuelle du sujet âgé. *Thérapie*, 1996, 48, 185-187.

L'ampleur du phénomène mérite donc largement l'attention qui lui est portée. La souffrance humaine qu'elle implique est considérable, et les coûts financiers actuels et futurs ont alerté les pouvoirs publics d'un grand nombre de pays.

Enfin, il faut souligner le fait que beaucoup de personnes souffrant de tels troubles ne bénéficient pas d'une prise en charge médicale. Pour un certain nombre d'entre elles, ces troubles sont même considérés comme « normaux pour l'âge », aussi bien d'ailleurs par le malade que par son entourage. Selon la même enquête, seulement 55 % des personnes âgées vivant à leur domicile et souffrant de ce type de troubles bénéficient de soins médicaux spécifiques.

Quelles sont les personnes à risque ? Le risque de survenue de la maladie d'Alzheimer et des troubles de mémoire apparentés est accru par la présence de certains facteurs.

L'âge avancé est le premier d'entre eux, nous venons de l'évoquer. Le second est l'existence dans la famille d'antécédents qui ont présenté des troubles similaires. On estime que, pour un sujet donné, le risque de souffrir de tels troubles fait plus que doubler lorsque l'un de ses parents au premier degré est atteint. Il augmente encore si plusieurs parents du premier degré sont touchés par la maladie et d'autant plus qu'ils ont vu leurs troubles survenir avant soixante-dix ans. Nous reparlerons des facteurs héréditaires.

On a remarqué, par ailleurs, que la trisomie 21, communément dénommée mongolisme, provoque chez les adultes qui en sont atteints des lésions cérébrales très similaires à celles observées dans la maladie d'Alzheimer.

D'autres facteurs susceptibles de favoriser la maladie ont été suspectés. Certains d'entre eux sont actuellement reconnus comme déterminants. Les femmes présentent un risque relatif de 1,5 à 2 fois supérieur à celui des hommes, ce que leur espérance de vie plus longue ne suffit pas à expliquer. Les traumatismes crâniens ont fortement été mis en cause ; de tels troubles ont en effet été observés chez des individus exposés, notamment les boxeurs, ou bien chez les jeunes, quelques années après avoir subi des traumatismes.

Enfin, un certain nombre de facteurs, suggérés par d'autres études, n'ont pu être confirmés ultérieurement : l'exposition professionnelle à des solvants organiques et aux champs électromagnétiques ; l'existence de troubles cardio-vasculaires et surtout des coronaires. La place du niveau d'éducation est largement discutée : selon certains travaux, une faible scolarisation serait associée à un risque plus élevé de développement de la maladie.

Inversement, on s'intéresse activement à des facteurs protecteurs éventuels, parmi lesquels un traitement par des médicaments anti-inflammatoires non stéroïdiens, des antioxydants ou des œstrogènes.

Mais restons prudents : pour la grande majorité des personnes, aucun facteur possible de risque ne peut être mis en évidence et des incertitudes persistent sur de très nombreux points.

Quant à la durée de la maladie, elle est évaluée à huit ans en moyenne. L'âge précoce de survenue a un impact considérable sur la durée de celle-ci. Mais il importe de souligner que, depuis quelques décennies, une meilleure prise en charge, visant à palier la perte d'autonomie de ces malades et les complications qui peuvent en découler, notamment les problèmes infectieux, a contribué à doubler leur espérance de vie.

La maladie d'Alzheimer atteint surtout des personnes âgées. On estime qu'environ 4 % de la population des plus de 65 ans est touchée, ce qui représente de 250 000 à 300 000 personnes en France. L'âge et l'hérédité sont identifiés actuellement comme étant les facteurs déterminants de survenue de ces troubles.

Manifestations et évolution des troubles

Les troubles débutent, dans près des trois quarts des cas, par des difficultés de mémoire. Puis viennent s'ajouter progressivement d'autres signes. On sait maintenant que ces troubles, de même que leur évolution, peuvent être très variables selon les personnes. Cette hétérogénéité des manifestations cliniques et leur évolution est une notion capitale, aussi bien dans la démarche diagnostique que pour la prise en charge.

● La mémoire

Il arrive fréquemment que les troubles de la mémoire passent d'abord inaperçus en début d'évolution, d'autant plus que leur apparition aura été progressive. Très souvent, à ce stade, ils sont banalisés et attribués à l'âge. En fait, la personne malade ou son entourage ne s'inquiètent que lorsque les troubles s'accentuent et ont des répercussions sur la vie quotidienne (voir tableau 3).

Au stade initial, les troubles de mémoire portent sur les événements récents. Ainsi, la personne oublie les tâches qu'elle doit effectuer : rendez-vous, visite à rendre à une connaissance, four à éteindre, robinet à fermer ou porte à verrouiller... Elle fait souvent preuve de distraction, perd des objets, ne sait plus où elle a laissé sa voiture, ses clefs, son porte-monnaie. Elle

| ■ Nom : .... | ■ Prénom : .... |
| ■ Âge : .... | ■ Sexe :   ❏ M   ❏ F |

Voici une liste de phrases décrivant les difficultés que chacun peut rencontrer dans la vie quotidienne. Mettez une croix dans la colonne correspondant à la fréquence avec laquelle vous avez rencontré des difficultés dans les **3 dernières semaines**.

0 Jamais   1 Rarement   2 Parfois   3 Souvent   4 Très souvent

1	J'ai des difficultés à me souvenir des numéros de téléphone usuels.	0	1	2	3	4
2	J'oublie où j'ai posé mes lunettes, mes clefs, mon porte-monnaie, mes papiers.	0	1	2	3	4
3	Quand je suis interrompu(e) dans une lecture, j'ai du mal à retrouver où j'en étais.	0	1	2	3	4
4	Quand je fais des courses, j'ai besoin d'une liste écrite.	0	1	2	3	4
5	J'oublie des engagements, de me rendre à des rendez-vous, des réunions.	0	1	2	3	4
6	J'oublie de rappeler quand on m'a téléphoné.	0	1	2	3	4
7	J'ai du mal à mettre une clef dans une serrure.	0	1	2	3	4
8	J'oublie en cours de route des courses que j'avais projeté de faire.	0	1	2	3	4
9	J'ai des difficultés à me rappeler le nom des gens que je connais.	0	1	2	3	4
10	J'ai des difficultés pour me concentrer sur mon travail ou une occupation.	0	1	2	3	4
11	J'ai des difficultés à raconter une émission que je viens de voir à la télévision.	0	1	2	3	4
12	J'ai des difficultés à exprimer clairement ce que je veux dire.	0	1	2	3	4
13	Il m'arrive de ne pas reconnaître des gens que je connais.	0	1	2	3	4
14	Il m'arrive d'avoir un mot sur le bout de la langue et de ne pas pouvoir le sortir.	0	1	2	3	4
15	J'ai des difficultés à retrouver le nom des objets.	0	1	2	3	4
16	J'ai des difficultés à comprendre ce que je lis.	0	1	2	3	4
17	J'ai des difficultés à comprendre ce que les gens disent quand plusieurs personnes parlent entre elles.	0	1	2	3	4
18	J'oublie le nom des gens juste après qu'ils m'ont été présentés.	0	1	2	3	4

19	Je perds le fil de mes idées lorsque j'écoute quelqu'un d'autre.	0	1	2	3	4
20	J'oublie quel jour de la semaine nous sommes.	0	1	2	3	4
21	J'oublie de boutonner ou de tirer la fermeture Eclair de mes vêtements.	0	1	2	3	4
22	J'ai besoin de vérifier une fois ou deux si j'ai bien fermé la porte, coupé le gaz, etc.	0	1	2	3	4
23	Je fais des erreurs en écrivant ou en faisant des calculs.	0	1	2	3	4
24	Il m'est difficile de fixer mon esprit sur quelque chose.	0	1	2	3	4
25	J'ai besoin de me faire répéter plusieurs fois les choses que je dois faire.	0	1	2	3	4
26	J'ai des difficultés pour boutonner mes vêtements, tirer les fermetures Eclair.	0	1	2	3	4
27	Je ne range pas mes vêtements à la bonne place.	0	1	2	3	4
28	J'ai du mal à coudre, raccommoder, à faire des paquets, à effectuer des petites réparations.	0	1	2	3	4
29	J'ai du mal à fixer mon esprit sur ce que je lis.	0	1	2	3	4
30	J'oublie immédiatement ce que les gens viennent de me dire.	0	1	2	3	4
31	Il m'arrive de ne pas savoir ce que je suis venu faire à l'endroit où je me trouve.	0	1	2	3	4
32	J'ai du mal à savoir si l'on m'a rendu correctement la monnaie.	0	1	2	3	4
33	J'oublie de payer mes notes, de déposer des chèques, d'affranchir ou poster mon courrier.	0	1	2	3	4
34	Je dois faire les choses lentement pour être sûr(e) de les faire bien.	0	1	2	3	4
35	J'ai, par moments, l'impression d'avoir la tête vide.	0	1	2	3	4
36	J'oublie quel jour du mois nous sommes.	0	1	2	3	4
37	J'ai des difficultés à utiliser des outils, des ciseaux, un tire-bouchon, un ouvre-boîte…	0	1	2	3	4

Tableau 3 : Echelle d'auto-évaluation de McNair à 37 items.

D'après : McNAIR D.M., KAHHN R.J. Self-assessment of cognitive deficits. In : Assessments in geria-geriatric psychopharmacology. T. Crook, S. Ferris and R. Bartus, Eds. 1984, Mark Powley, New Canaan. (Conn.). Dérouesné C., Dealberto M.J., Boyer P. et al. Empirical evaluation of the « Cognitive Difficulties Scale » for assessment of memory complaints in general pravtice : a study of cognitively normal subjects aged 45-75 years. *Int. J. Geriatric Psychiatry*, 1993, 8, 599-607.

oublie des conversations, des coups de téléphone reçus ou donnés, des messages à délivrer. Comme elle éprouve une grande
difficulté à mémoriser de nouvelles informations, elle est amenée à poser plusieurs fois les mêmes questions, mais oublie aussitôt la réponse, souvent au grand agacement de l'entourage.
A l'opposé, la mémoire des événements anciens est en règle
générale assez bien conservée, tout au moins en début d'évolution de la maladie. On veut souvent y voir un élément rassurant. Mais cela peut conduire à « vivre presque complètement
dans le passé ».

Ensuite, la personne devient incapable de se repérer dans le
temps : elle oublie la date, le jour de la semaine, le mois. Puis,
peu à peu, elle oubliera l'année puis la saison.

La capacité à s'orienter dans l'espace est elle aussi perturbée. La personne ne trouve pas le bon chemin pour se rendre
à un endroit habituel. Elle se perd dans son quartier. A un stade
plus évolué de la maladie, elle déambule sans pouvoir rentrer
chez elle. A l'extrême, elle peut se perdre dans son appartement. Tout changement (un séjour de vacances dans une autre
habitation, le déplacement de certains meubles dans la maison, etc.) aggravera la situation. C'est d'ailleurs souvent lorsqu'elle s'est perdue sur un itinéraire familier qu'elle-même
ou son entourage ressentent la nécessité d'une consultation
médicale.

Si la mémoire des événements anciens est longtemps plus
vive que celle des événements récents, force est de constater
qu'au fur et à mesure de l'évolution ces souvenirs anciens s'effacent progressivement et que les repères personnels et socio-
culturels s'estompent.

D'un malade à l'autre, la conscience des troubles est extrêmement variable. Certaines personnes sont conscientes, dès le
début de la maladie, d'éprouver des troubles de mémoire, sans
pour autant en apprécier correctement la sévérité. Elles en mini-
misent souvent l'importance ou les conséquences et mettent au
point des stratégies pour les compenser (multiplication de listes

écrites...). Elles acceptent, voire recherchent, l'aide de leur entourage. Mais la prise de conscience des troubles peut aussi déclencher des réactions anxieuses ou dépressives majeures. Ainsi des personnes actives durant toute leur existence ressentent-elles très douloureusement le fait de dépendre de leur entourage, d'être sous la « garde » de quelqu'un, ou bien, ayant perdu tel ou tel objet familier, suspectent leurs proches de le leur avoir dérobé.

A l'opposé se situent les personnes qui ignorent partiellement ou complètement leurs troubles, dénient les difficultés qui en résultent et refusent l'aide qui leur est proposée. Cette difficulté à reconnaître ses propres troubles est dénommée symptôme d'*anosognosie*. Il se traduit notamment par l'écart qui existe entre l'appréciation que la famille porte sur les troubles et la perception que la personne malade a d'elle-même. En règle générale, il ne s'installe qu'à partir d'un certain degré de détérioration mentale : plus la maladie évolue, moins le malade a conscience de ses troubles. Mais s'il est ainsi protégé de la souffrance générée par le constat de l'aggravation de sa maladie, il n'en est pas moins vrai que cette non-reconnaissance des troubles est un facteur de pronostic défavorable pour l'adaptation sociale et l'évolution de la maladie. En outre, il faut bien admettre que quelques personnes restent douloureusement conscientes de leurs difficultés, même à une phase avancée de la maladie.

Les troubles de mémoire demeurent parfois longtemps isolés. Mais, très souvent, d'autres signes viennent aggraver, plus ou moins rapidement, la situation. Dans tous les cas, ils réduisent de manière sensible l'autonomie de la personne qui en est atteinte. Les renseignements apportés par l'entourage et basés sur l'observation du patient revêtent donc une importance capitale pour le médecin et l'équipe qui le prennent en charge.

1 APTITUDE A UTILISER LE TÉLÉPHONE

1 ❑ Se sert normalement du téléphone.
2 ❑ Compose quelques numéros très connus.
3 ❑ Répond au téléphone mais ne l'utilise pas spontanément.
4 ❑ N'utilise pas du tout le téléphone spontanément.
5 ❑ Incapable d'utiliser le téléphone.

2 LES COURSES

1 ❑ Fait des courses normalement.
2 ❑ Fait quelques courses normalement (nombre limité d'achats : 3 au moins).
3 ❑ Doit être accompagné pour faire des courses.
4 ❑ Complètement incapable de faire des courses.

3 PRÉPARATION DES ALIMENTS

0 ❑ Non applicable : n'a jamais préparé de repas.
1 ❑ Prévoit, prépare et sert normalement les repas.
2 ❑ Prépare normalement les repas si les ingrédients lui sont fournis.
3 ❑ Réchauffe et sert des repas préparés ou prépare des repas mais de façon plus ou moins inadéquate.
4 ❑ Il est nécessaire de lui préparer des repas et de les lui servir.

4 ENTRETIEN MÉNAGER

0 ❑ Non applicable : n'a jamais eu d'activités ménagères.
1 ❑ Entretien sa maison seul ou avec une aide occasionnelle (pour les travaux lourds).
2 ❑ Effectue quelques tâches quotidiennes légères telles que : laver la vaisselle, faire les lits.
3 ❑ Effectue quelques tâches quotidiennes mais ne peut maintenir un état de propreté normal.
4 ❑ A besoin d'aide pour tous les travaux d'entretien ménager.
5 ❑ Est incapable de participer à quelque tâche que ce soit.

5 BLANCHISSERIE

0 ❑ Non applicable : n'a jamais effectué de blanchisserie.
1 ❑ Effectue totalement sa blanchisserie personnelle.
2 ❑ Lave les petits articles, rince les chaussettes, les bas, etc.
3 ❑ Toute la blanchisserie doit être faite par d'autres.

6 MOYENS DE TRANSPORT

1 ❑ Utilise les transports publics de façon indépendante ou conduit sa propre voiture.

2 ❑ Organise ses déplacements en taxi, mais autrement n'utilise aucun transport public.

3 ❑ Utilise les transports publics avec l'aide de quelqu'un ou accompagné.

4 ❑ Déplacement limité, en taxi ou en voiture avec l'aide de quelqu'un.

7 RESPONSABILITÉ A L'EGARD DE SON TRAITEMENT

1 ❑ Est responsable de la prise directe de ses médicaments (doses et rythmes corrects).

2 ❑ Est responsable de ses médicaments si des doses séparées lui sont préparées à l'avance.

3 ❑ Est incapable de prendre seul ses médicaments même s'ils lui sont préparés à l'avance, en doses séparées.

8 APTITUDE A MANIPULER L'ARGENT

0 ❑ Non applicable : n'a jamais manipulé l'argent.

1 ❑ Gère ses finances de façon autonome (budgets, rédaction de chèques, loyer, factures, opérations à la banque) - recueille et ordonne ses revenus.

2 ❑ Se débrouille pour les achats quotidiens mais a besoin d'aide pour les opérations à la banque, les achats importants...

3 ❑ Incapable de manipuler l'argent.

Tableau 4 : IADL (Instrumental Activities of Daily Living).

Echelles d'activités quotidiennes déterminées par l'entourage soignant. L'IADL est une échelle qui permet d'évaluer le degré d'efficience d'un patient dans des activités de la vie quotidienne. La cotation se fait à partir des informations qui sont fournies à l'évaluateur par l'entourage soignant du patient. Le score total s'échelonne de 4 à 31, les scores les plus élevés indiquant le degré de handicap le plus important dans l'accomplissement des activités quotidiennes.

D'après M. Lawton, Brody E. Assessment of older people : Self maintening and instrumental activities of daily living. *Gerontology*, 1969, 9, 179-186.

P. Baberberger-Gateau, Commenges D., Gagnon M ; et al. Instrumental activities of daily living as a screening tool for cognitive impairment and dementia in elderly community dwellers. *J. Am. Geriatric. Soc.*, 1992, 40, 1129-1134.

P. Baberberger-Gateau, Dartigues JF., Letenneur L. Four instrumental activities of daily living score as a predictor of one-year incident dementia. *Age and Ageing*, 1993, 22, 457-463.

● *Le langage*

Après les troubles de mémoire, les plus fréquents sont les troubles de langage. Ils sont présents dans 40 % des cas au début de la maladie, et sont constants à un stade avancé. Ils concernent aussi bien le langage oral que le langage écrit, et sont également très variables selon la personne et dans la durée.

En ce qui concerne le langage oral, il s'agit, au début, de difficultés à trouver un mot dans la conversation ou le nom d'un objet. Le mot manquant est alors remplacé par un mot imprécis tel que « truc » ou « machin », par une circonlocution ou un autre mot appartenant à la même catégorie. Il faut d'emblée préciser que la difficulté à se remémorer les noms propres est très banale et n'a évidemment pas la même signification. Ce manque du mot dans le langage spontané conduit à s'exprimer le moins possible. Mais le plus souvent, au début, le discours reste assez fluide et fait illusion ; tout au plus, remarque-t-on des hésitations, des périphrases ou des phrases avortées. Ces troubles peuvent donc passer inaperçus lors d'une conversation spontanée. Mais ils apparaissent très nettement lorsque l'on propose au malade de dénommer des objets. A ce stade, la compréhension orale, de même que la répétition et la lecture à haute voix sont, en règle générale, préservées.

Au fur et à mesure de l'évolution de la maladie, le manque du mot adéquat s'accentue. Le discours devient de moins en moins informatif, voire incohérent. La compréhension orale est très perturbée, même si la répétition demeure possible. Le langage oral se détériore de plus en plus. A un stade très avancé, le malade ne pourra utiliser que des formules automatisées, avant de devenir mutique.

Les troubles du langage écrit sont habituellement plus précoces que ceux du langage oral. Il faut, bien entendu, tenir compte des capacités antérieures de la personne. Au début, des difficultés se présentent avec l'orthographe des mots irréguliers, tandis que celle des mots réguliers est relativement préservée. L'écriture reste phonologiquement correcte pendant un certain temps, puis devient incompréhensible.

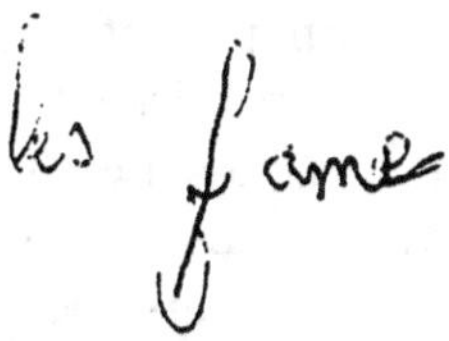

Figure 1: «Les Femmes». Exemple de simplification de l'écriture, l'orthographe est erronée, mais phonologiquement correcte.

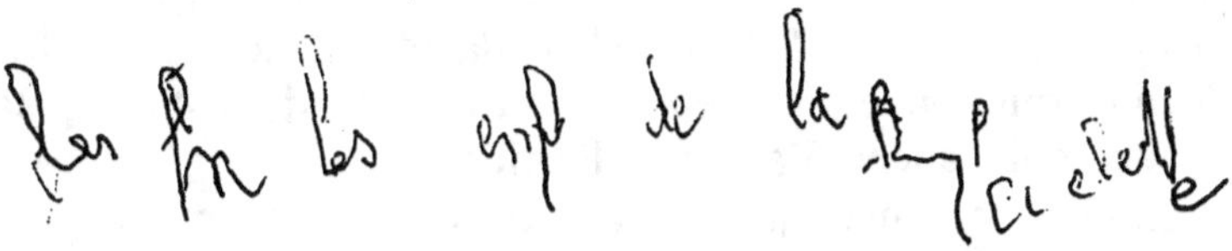

Figure 2 : «Les enfants font de la bicyclette». Exemple d'écriture en voie de déstructuration.

Outre l'orthographe, l'écriture se modifie. Le graphisme, l'agencement des lettres sont perturbés. Ainsi certaines personnes utilisent-elles de préférence des lettres capitales ou bien, de façon conjointe dans un même mot, des minuscules et des majuscules. Ces perturbations s'accentuent au fur et à mesure de la progression de la maladie jusqu'à rendre l'écriture illisible, à l'exception de la signature qui reste longtemps reconnaissable.

Les difficultés concernant la lecture sont plus tardives. Elles se manifestent en premier pour les mots irréguliers, puis s'accentuent jusqu'à la rendre impossible.

C'est bien souvent des difficultés inaccoutumées au Scrabble ou dans la pratique des mots croisés qui alertent l'entourage. Ou bien encore l'inquiétude de la famille face à des fautes d'orthographe inhabituelles dans la correspondance.

● *Les réalisations gestuelles (ou praxies)*

Ces troubles, dénommés *troubles praxiques,* sont constants dans la maladie d'Alzheimer et les pathologies apparentées. Mais les moments où ils apparaissent et la forme qu'ils prennent sont extrêmement variables. Le plus souvent, ils n'ont pas de traduction dans la vie quotidienne avant un stade avancé de la maladie. Ils sont néanmoins aisément repérés lors de l'examen médical. Il suffit pour cela de demander à la personne de reproduire, sur imitation, des gestes nécessitant les deux mains, mais sans signification particulière (par exemple, opposer les doigts deux à deux). L'impossibilité de reproduire correctement ces gestes reflète la sévérité de la maladie et témoigne des difficultés qui peuvent survenir lorsqu'il s'agit de distinguer la droite de la gauche, l'avant de l'arrière.

Les gestes symboliques conventionnels, un salut militaire ou un pied de nez, sont difficiles à réaliser. Puis, à un stade plus évolué, le mime d'actions aussi simples que l'utilisation d'un tire-bouchon ou le fait de planter un clou avec un marteau devient impossible.

Les difficultés rencontrées lors de la manipulation d'objets restent longtemps masquées dans la vie quotidienne par des stratégies d'évitement. Mais si l'on demande à une personne malade de mettre une feuille dans une enveloppe et de rédiger l'adresse, comme si elle souhaitait la poster, l'opération s'avère très difficile. Ce sont les actions complexes, ou réclamant des gestes coordonnés, qui sont le plus précocement perturbées (conduire une voiture, faire fonctionner une chaîne stéréo, etc.).

Une autre difficulté rencontrée précocement est la réalisation ou la reproduction des figures ou des dessins géométriques. Il faut toutefois être circonspect et se rappeler que cette capacité varie en fonction du niveau culturel et de l'âge de la personne. D'abord incapable de reproduire la perspective, parvenue à un

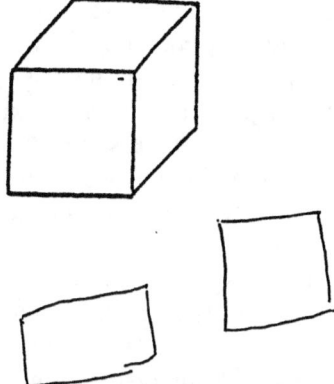

Figure 3 : Perte de la représentation de la troisième dimension, 1re anomalie du dessin constatée chez un malade souffrant de maladie d'Alzheimer. La consigne donnée au patient est de recopier le modèle.

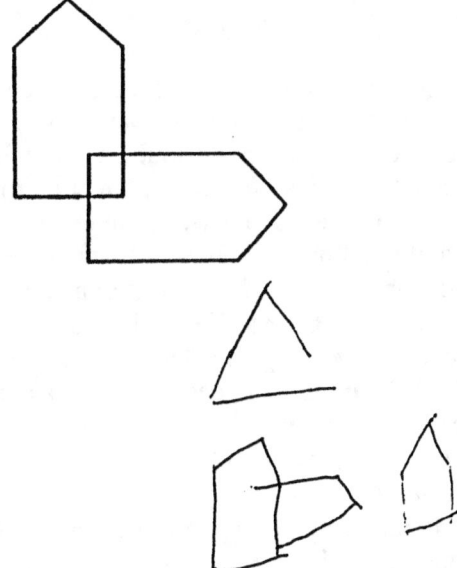

Figure 4 : Erreurs dans la reproduction d'une figure en deux dimensions. La consigne donnée au patient est de recopier le modèle.

stade évolué de la maladie, elle ne peut plus reproduire une figure géométrique autrement qu'en l'accolant au modèle, les repères spatiaux éclatant totalement. Les difficultés pour s'habiller apparaissent tardivement. Dans un premier temps, la personne superpose plusieurs vêtements similaires, puis effectue des erreurs dans l'ordre des vêtements, dans leur position et leur utilisation (voir Conseils pour la vie quotidienne, p. 97).

Ainsi, au fur et à mesure de l'évolution de la maladie, ce sont des actions de plus en plus élémentaires qui sont perturbées, notamment celles de la vie courante : la toilette, l'habillage, les tâches ménagères, le bricolage, etc. La personne est alors conduite à abandonner ses activités habituelles du fait d'une réduction importante de son autonomie.

● *La reconnaissance (ou agnosie)*

Ces troubles s'appliquent à la reconnaissance des images d'objets, puis, dans un second temps, aux objets eux-mêmes. Cette difficulté est volontiers attribuée à une diminution de l'acuité visuelle, mais des efforts de correction optique répétés n'apportent, dans ce cas précis, aucun résultat probant. En effet, il ne s'agit pas d'un déficit visuel élémentaire, mais d'une difficulté à reconnaître des informations transmises au cerveau par les voies visuelles. Ce type de trouble est en général assez tardif. Il concerne 30 % des personnes malades. Plus tard, l'évolution de la maladie impliquera des difficultés à reconnaître les visages, même familiers, générant une grande souffrance pour les proches. C'est parfois cet événement qui motive la consultation médicale. A un stade très évolué de la maladie, les malades ne reconnaissent plus leur propre image dans un miroir ou sur des photographies. En revanche, ils restent longtemps capables de reconnaître les couleurs. L'ensemble de ces troubles est désigné par le terme d'*agnosie*.

● *Les troubles intellectuels*

Une altération des capacités intellectuelles les plus élaborées s'installe rapidement. Les capacités de jugement, de raisonnement et d'abstraction sont alors atteintes. Les personnes multiplient les erreurs lors d'activités complexes, telles que la gestion financière ou les démarches administratives. Elles éprouvent des difficultés à résoudre les tâches de la vie quotidienne et à s'adapter à des situations nouvelles. Dans nombre de cas, elles abandonnent ce qui leur pose problème et restreignent ainsi leur champ d'activités.

● *Le calcul*

Les familles signalent très souvent les erreurs grossières dans les additions ou les évaluations financières. Le calcul mental est souvent et précocement altéré, et les difficultés à lire l'heure viennent encore aggraver la désorientation générale.

● *La localisation des objets*

Fréquents au cours de l'évolution de la maladie, ces troubles dits *cognitifs* se manifestent par une altération de la perception de l'espace. L'éclatement des repères spatiaux est particulièrement net lors d'activités telles que le repérage sur une carte ou un plan, ou tout simplement dans le dessin.

S'ils peuvent impliquer des troubles du comportement, ils n'en constituent pas la seule origine. En effet, les difficultés psychologiques ou psychiatriques, dont la sévérité et le type sont variables, traduisent des modifications chimiques consécutives aux lésions du cerveau observées dans la maladie d'Alzheimer. Difficiles à supporter par l'entourage, ces troubles sont néanmoins influencés par ses réactions. Il est capital de les rechercher car, une fois identifiés, ils sont souvent accessibles à un traitement efficace.

● *Les dépressions*

Elles apparaissent fréquemment, mais leur diagnostic se révèle souvent malaisé. En effet, certains symptômes de dépression, tels que le désintérêt, l'apathie, les troubles de l'attention, la réduction d'activité et d'autres encore, peuvent aussi bien être des signes de dépression que la conséquence des troubles cognitifs. Par ailleurs, les différents troubles de mémoire et du langage modifient la manière dont se traduisent les dépressions. Il faut donc se garder d'évaluer celles-ci en comparaison de ce qu'elles peuvent être chez d'autres personnes. Leur traitement est capital car, presque toujours efficace, il évite la souffrance dépressive et améliore très souvent une partie des troubles décrits précédemment.

En dehors d'épisodes dépressifs caractérisés, un certain nombre de personnes souffrant de maladie d'Alzheimer présentent des oscillations de l'humeur entre deux pôles, d'ailleurs non exclusifs l'un de l'autre : d'une part, un émoussement affectif, une réduction de l'expression des émotions, une perte de la recherche du plaisir et, d'autre part, un pôle d'hyper-expressivité comportant des manifestations d'anxiété et d'irritabilité. Plus rarement, les modifications de l'humeur vont dans le sens d'une gaieté anormale, d'une tendance à être enjoué, voire facétieux, et à nier totalement les troubles de mémoire et les difficultés qu'ils engendrent.

On a pu remarquer que certains états dépressifs du sujet âgé se manifestent par un tableau clinique très proche de celui rencontré dans la maladie d'Alzheimer, au point que l'on a parfois de grandes difficultés pour trancher entre l'une et l'autre affection. Pour les spécialistes, il s'agit de pseudo-démence

dépressive. Ces états répondent en principe de manière satisfaisante à un traitement antidépresseur. C'est un faisceau d'ar-
guments, cliniques entre autres, qui permet de s'orienter vers
un diagnostic plutôt que vers tel autre. A moins que les deux
troubles ne coexistent.

● *L'anxiété*

Fréquente, elle serait l'une des premières manifestations de
la maladie. Elle augmente notablement lorsque la personne
malade se trouve en échec du fait de ses troubles de mémoire
ou autres. Des nouveautés, des modifications dans l'entourage
(une nouvelle garde-malade) ou l'environnement (aménagements de l'habitation) en sont souvent la cause. Aussi faut-il
être particulièrement vigilant lorsque l'on propose à ces personnes de passer des tests qui risquent de les confronter de
manière brutale à leur déficit.

L'anxiété peut être énoncée comme un sentiment d'inquiétude vague, de malaise intérieur, d'incapacité à se fixer sur une
tâche. Elle peut se traduire par la crainte d'une maladie orga-
nique grave et conduire à démultiplier les demandes d'examens
médicaux. Elle peut également se cristalliser sur le thème de
l'atteinte aux biens et au patrimoine, d'autant que les troubles
de mémoire responsables de pertes d'argent ou d'objet vont
conforter la personne malade en ce sens. Les relations avec l'entourage s'en trouveront parfois singulièrement compliquées.

L'angoisse est souvent une source d'agitation, voire d'agressivité, surtout à un stade avancé de la maladie, lorsque
l'expression devient défaillante. Elle peut également se mani-
fester sur un versant somatique : agitation importante, tremblements, poussée de tension artérielle, accélération de la
fréquence cardiaque, gêne respiratoire, troubles digestifs. Ces
manifestations surviennent quelquefois sur le mode d'une crise
aiguë qui s'arrête rapidement ou se prolonge d'une façon moins

PSEUDO-DÉMENCE
1 – Histoire clinique
– La famille est toujours consciente des troubles et de leur sévérité. – Début daté avec précision. – Troubles existent depuis peu. – Aggravation rapide. – Passé psychiatrique fréquent.
2 – Allégations et comportements
– Patients se plaignent beaucoup de leur déficit intellectuel. – Symptômes sont détaillés. – Patients « majorent » leur incapacité. – Patients « majorent » leurs échecs. – Patients font peu d'efforts pour accomplir des tâches éventuellement simples. – Les patients n'essaient pas de se maintenir au niveau. – Les patients communiquent une intense détresse. – Changements d'humeur souvent envahissants. – La perte des habiletés sociales est précoce et prédominante. – Le comportement n'est souvent pas en rapport avec la sévérité des troubles cognitifs. – L'accentuation nocturne des troubles est inhabituelle.
3 – Troubles de la mémoire et des fonctions supérieures
– Attention et concentration sont souvent préservées. – Réponses « Je ne sais pas » typiques. – Tests d'orientation : patients donnent souvent des réponses « Je ne sais pas ». – Troubles de la mémoire portent aussi bien sur les faits récents que sur les faits anciens. – Les lacunes mnésiques sur des périodes ou des faits spécifiques sont habituels. – Variabilité des performances sur des tâches d'égale difficulté.

Tableau 5 : Tableau comparatif entre pseudo-démence et démence. Ce tableau présentent sous la forme d'un tableau d'allure démentielle, et les symptômes retrouvés

D'après Wells CE. Pseudo dementia, *American Journal of Psychiatry*, 1979, 136, 895-900.

DÉMENCE
1 – Histoire clinique
– La famille n'est pas toujours consciente des troubles et de leur sévérité. – Début flou. – Troubles existent depuis longtemps. – Evolution lente. – Passé psychiatrique inhabituel.
2 – Allégations et comportements
– Patients se plaignent peu de leur déficit intellectuel. – Symptômes sont vagues. – Patients « minorent » leur incapacité. – Patients sont « ravis » de leur comportement. – Patients font beaucoup d'efforts pour accomplir des tâches éventuellement simples. – Patients comptent sur leurs notes pour se maintenir au niveau. – Les patients apparaissent souvent peu concernés. – Humeur souvent labile et superficielle. – Habiletés sociales souvent maintenues. – Comportement est habituellement en rapport avec la sévérité des troubles cognitifs. – Accentuation nocturne des troubles est habituelle.
3 – Troubles de la mémoire et des fonctions supérieures
– Attention et concentration sont habituellement défectueuses. – Réponses « à côté » sont fréquentes. – Tests d'orientation : patients font souvent des réponses inhabituelles. – Troubles de la mémoire portent davantage sur les faits récents que sur les faits anciens. – Les lacunes mnésiques sur des périodes ou des faits spécifiques sont habituelles. – Constance des faibles performances sur des tâches d'égale difficulté.

compare de manière synthétique les symptômes retrouvés dans les dépressions qui se dans les démences, notamment de type Alzheimer.

intense. L'attitude de l'entourage a souvent une influence considérable sur l'évolution de la crise.

Une anxiété plus ou moins latente peut également se traduire par des troubles du sommeil, notamment des difficultés d'endormissement, une irritabilité inhabituelle ou des réactions qualifiées par l'entourage de caractérielles, la prise intempestive de boissons alcoolisées ou de médicaments sédatifs. Les fugues sont aussi, parfois, un mode d'expression de l'anxiété ; la fuite constituerait une sorte d'échappatoire face au danger qui oppresse.

● *Les troubles de la personnalité et du comportement*

On désigne par ces termes des modifications de la façon d'être qui correspondent à une perte du contrôle que chacun exerce habituellement sur son comportement. Elles prennent des formes variées (agitation, hyperactivité, instabilité émotionnelle, sautes d'humeur, repli, refus alimentaire, etc.) et aiguës, c'est-à-dire survenir de manière relativement brutale et disparaître plus ou moins rapidement ou s'installer plus insidieusement et se prolonger.

La réduction des activités. En début d'évolution de la maladie, on observe assez souvent une réduction des activités liées à la vie quotidienne. La personne se met en retrait, semble indifférente, manque de spontanéité, de motivation, prend très peu d'initiatives. En fait, le sens de cette baisse d'activité n'est pas univoque et varie selon les cas. Le plus souvent, la famille repère très bien ces modifications, d'autant qu'elles rendent la vie quotidienne plus difficile. Le médecin recherche alors systématiquement un trouble dépressif sous-jacent. A un stade plus avancé, la réduction des activités témoigne souvent de l'incapacité à réaliser telle ou telle tâche du fait des troubles de mémoire, des troubles gestuels, etc.

Les conduites stéréotypées. Ce sont des conduites répétitives apparemment dépourvues de finalité. Par exemple ranger et déranger un tiroir, plier et déplier des torchons, s'habiller et se déshabiller, aller sans cesse aux toilettes. Les comportements industrieux traduisent un besoin incoercible de s'activer comme s'il s'agissait de se livrer coûte que coûte à une activité domestique, voire professionnelle.

A un stade plus avancé de la maladie, on observe des activités motrices ou verbales que l'on qualifie d'automatiques, souvent très élémentaires, telles que se frotter les mains, plier, lisser, tapoter, pétrir, ou encore imiter certains gestes de l'entourage, en suivant par exemple l'aide-soignante lorsqu'elle s'occupe d'autres personnes du même établissement.

On remarque également une tendance à la déambulation, mais celle-ci n'est pas toujours dépourvue de finalité, du moins dans l'esprit du malade, qui cherche parfois à rentrer chez lui ou à retrouver un domicile plus ancien dans lequel il est persuadé d'habiter actuellement, ou encore à rendre visite à un parent. D'autres déambulent et se perdent ou parfois fuguent. Ce type de perturbation du comportement peut avoir des conséquences graves (accidents sur la voie publique), et pose des problèmes notables de surveillance. Heureusement, des aménagements architecturaux adéquats limitent ce risque. Nous y reviendrons.

Les idées délirantes et la fabulation. Les idées délirantes, les convictions erronées qui ne peuvent être corrigées par l'expérience ou le raisonnement sont fréquentes. Le plus souvent, elles sont fugitives et sans conséquence sur la vie quotidienne. Mais, quelquefois, ce sont des idées de vol, d'abandon, de jalousie ou des préoccupations physiques sans aucun rapport avec la réalité. Elles sont parfois favorisées par le contexte. En effet, les personnes malades égarent des objets du fait de leurs troubles de mémoire et pensent qu'elles ont été volées, par exemple par les personnes qui leur rendent visite. Certaines vont nier l'identité d'un membre de leur entourage, soutenant que ce n'est pas leur époux ou leur fille. Il découle parfois de ces idées délirantes des accès d'agitation ou d'agressivité. La fabulation n'est pas rare. Elle est due à une mauvaise représentation des événements, lorsque le présent se mélange à des épisodes du passé. Certains malades prennent une personne pour une autre (fausse reconnaissance) ou commettent des erreurs sur leur biographie, parce qu'ils condensent des événements séparés ou confondent des événements passés et présents. D'autres ont la conviction de voir tel objet ou d'entendre tel son, alors même qu'il n'existe pas. Ces phénomènes sont dénommés hallucinations. Ils sont souvent source d'anxiété ou d'agitation. Ils peuvent être favorisés par un déficit visuel (cataracte) ou auditif (surdité) coexistant.

Dans les formes évoluées de la maladie surviennent souvent des erreurs d'identification. Elles peuvent concerner des lieux – ne pas reconnaître sa maison comme étant la sienne – ou des personnes, ce qui peut conduire le malade à refuser d'admettre qu'un conjoint est bien le sien. Ces troubles sont toujours ressentis de manière très douloureuse par l'entourage. Il peut également se comporter comme si des personnes décédées vivaient toujours ou comme si des personnages de la télévision étaient réels. Le plus souvent, il est tout à fait convaincu de la réalité de ce qu'il voit ou fait et sera peu, voire pas du tout, accessible aux tentatives de le ramener à une réalité plus objective. Essayer de l'y contraindre peut déclencher des accès d'agitation ou d'agressivité.

Les difficultés que rencontrent ces personnes les conduisent à une grande dépendance vis-à-vis de leur entourage. Elles tournent alors leur regard vers leur conjoint ou leur enfant à la moindre interrogation, et tolèrent parfois très mal que celui-ci s'absente, ne serait-ce qu'un bref instant, et se sentent alors livrées au néant. Elles le suivent sans cesse et ne sont rassurées qu'en sa présence. Dans cette perspective, la présence d'un animal domestique peut jouer un rôle bénéfique. On a cependant observé que, dans la plupart des cas, même à une phase avancée de la maladie ou lorsque le langage est profondément altéré, les personnes atteintes cherchent à communiquer avec leur entourage, souvent sur un mode non verbal, intuitif, global, mais cohérent.

Les conséquences de la douleur. Enfin, un certain nombre d'affections peuvent être à l'origine des troubles du comportement. Il ne saurait être question de toutes les citer. Néanmoins, certaines sont fréquentes. C'est le cas de la douleur. Bien souvent, elle entraîne des troubles du comportement aigus : la personne malade s'agite, crie, et devient agressive quand on cherche à modifier la position qui semblait lui convenir. Les déficits sensoriels (auditifs, visuels), qui entraînent une mauvaise perception de l'environnement, favorisent les perturbations du comportement. De même qu'une prothèse auditive mal réglée qui ne permet pas de percevoir correctement la voix de celui qui parle, ou qu'une prothèse gênante qui provoque des « sifflements ». Le malade ne sera pas toujours, du fait de sa maladie, en état d'expliquer ce qui lui arrive, il revient donc à l'entourage d'être attentif aux éventuels dysfonctionnements et d'y remédier. En règle générale, toute pathologie médicale aiguë, parce qu'elle est à l'origine d'une gêne ou d'une souffrance que la personne atteinte ne peut comprendre, exprimer ni soulager rapidement, peut être cause de troubles du comportement.

● *Les troubles du sommeil*

Les troubles du sommeil sont fréquents et variables. Ils se traduisent par une tendance à la somnolence diurne, à des réveils nocturnes, voire à une confusion entre le jour et la nuit. Dans tous les cas, on recherche systématiquement les facteurs qui peuvent les favoriser. Ainsi, cette femme qui appelait régulièrement au téléphone ses enfants à 5 ou 6 heures du matin : sa fille a découvert, lorsqu'elle a passé la nuit auprès d'elle, à l'occasion d'une pathologie intercurrente, qu'elle ne fermait ni les volets ni les rideaux de sa chambre et se trouvait donc gênée par la mise en route de l'enseigne lumineuse du café restaurant d'en face qui ouvrait très tôt le matin.

● *La confusion mentale*

Lorsque la confusion mentale apparaît, l'ensemble des troubles s'aggravent. Les modifications du comportement deviennent sensibles : la personne malade ne maîtrise plus la situation et paraît extrêmement inquiète. Elle ne peut plus intégrer ce qui lui parvient du monde extérieur, ne reconnaît plus les personnes rencontrées et commet des erreurs d'appréciation auxquelles elle cherche en vain à trouver une solution. La désorientation temporelle et spatiale empire brutalement, de même que les troubles de la mémoire et du langage. L'attention est perturbée, dispersée. Des hallucinations peuvent apparaître. Le malade agit comme dans un rêve (on parle d'onirisme), surtout au crépuscule ou dans l'obscurité.

L'intensité de ces symptômes est très variable d'un jour à l'autre et en fonction des divers moments de la journée, avec souvent une réactivation nocturne. On doit toujours rechercher une cause à cette confusion mentale : déshydratation, effet confusogène d'un médicament (surdosage, prise erronée), produit toxique (alcool, oxyde de carbone), ou pathologie somatique (hémorragie, infarctus, troubles respiratoires). Cet état peut aussi résulter d'une modification du milieu environnant (changement de domicile non préparé, hospitalisation) ou d'un événement psychiquement perturbant (conflit avec l'entourage, maladie du conjoint).

● *L'incontinence*

A un stade évolué de la maladie, l'incontinence sphincté-rienne est fréquente. Elle débute le plus souvent par une incontinence urinaire nocturne. Lorsqu'elle apparaît au début de la maladie, il faut évoquer et rechercher un autre diagnostic à son origine. Cette défaillance est accrue par les troubles de mémoire et les difficultés d'orientation qui impliquent que le malade oubliera de se rendre à temps aux toilettes, ne les trouvera pas ou se trompera d'endroit. Ces difficultés augmentent en cas de troubles du langage, car il ne pourra pas communiquer ses envies ou ses besoins. En outre, le fait de se salir est ressenti de manière très pénible par le malade qui, le plus souvent, cherchera à masquer ce souci, ce qui contribuera encore à l'aggraver.

Il faut penser systématiquement à certaines affections orga-niques, telles qu'une diarrhée ou une infection urinaire par exemple, et bien entendu aux manifestations d'effets secon-daires de certains médicaments. Enfin, des difficultés psycho-logiques, notamment des troubles dépressifs sévères, génèrent parfois de tels dysfonctionnements.

A un stade avancé de la maladie, peut survenir une véritable incontinence urinaire ou fécale. Il s'agit d'une conséquence des lésions cérébrales sur laquelle le malade n'exerce plus aucun contrôle. Il importe donc, dans tous les cas, de demander l'avis du médecin, même pour de petits « accidents » qui peuvent témoigner d'une pathologie intercurrente et bénéficier d'un trai-tement efficace d'une manière rapide.

● *La sexualité*

Les modifications repérées, indifférence et baisse de l'acti-vité sexuelle, sont fréquentes et ont un impact sur la vie du couple, mais elles sont très rarement évoquées par les malades ou leurs conjoints.

● *L'alimentation et l'hydratation*

L'alimentation peut se modifier, soit d'une manière quantitative, fréquemment par une perte d'appétit, soit qualitativement – l'appétence pour le sucré étant notablement accrue. Une perte de poids s'observe souvent dès le début de la maladie.

La dénutrition et la déshydratation font partie des complications majeures rencontrées dans la maladie d'Alzheimer, et conduisent parfois au décès. Il importe donc d'être particulièrement vigilant dans ce domaine. Ainsi, boire n'est plus un acte simple, les malades interprètent mal leur soif, oublient de boire, ne trouvent pas les mots correspondants, ne se rappellent plus où et comment se procurer des boissons. Etant donné les conséquences possibles d'une déshydratation, il importe de prévenir systématiquement cette carence en assurant un apport hydrique suffisant, même s'il s'agit d'une tâche qui n'est pas toujours aisée, surtout à un stade évolué de la maladie.

Quant à la malnutrition, son origine est diverse. Il faut tout d'abord penser aux problèmes somatiques, en particulier digestifs et dentaires. La prise de médicaments, surtout s'ils sont nombreux et administrés en début de repas, peut impliquer de moins manger. Les troubles inhérents à la maladie d'Alzheimer, notamment les dysfonctionnements de mémoire et la perturbation des savoir-faire, conduisent à l'incapacité d'élaborer un repas, à l'oubli de l'heure de se nourrir ou d'interpréter sa faim, ou, à l'extrême, à ne plus s'alimenter suffisamment ou alors de manière tout à fait anarchique. Enfin, l'anxiété ou les dépressions se traduisent souvent par des perturbations du comportement alimentaire. Plus rarement, des phénomènes délirants ou hallucinatoires sont en cause, la personne malade est convaincue par exemple que l'on cherche à l'empoisonner, elle refuse alors de s'alimenter en pensant se protéger.

Ces perturbations, qu'il s'agisse de la boisson ou de l'alimentation, nécessitent une intervention rapide, sous peine de mettre sérieusement en danger la santé du malade. Un avis médical doit être requis le plus vite possible.

Un grand nombre de troubles que nous venons de décrire sont à l'origine d'une souffrance pour la personne malade, et causes de difficultés supplémentaires pour ceux qui en ont la charge. Répétons-le, ces symptômes doivent être recherchés, car ils peuvent très souvent bénéficier de traitements efficaces.

● *Les signes neurologiques*

L'examen neurologique d'une personne souffrant de maladie d'Alzheimer est longtemps normal dans la très grande majorité des cas. C'est uniquement à un stade avancé de la maladie que s'observent de manière inconstante diverses manifestations neurologiques, telles qu'une augmentation du tonus musculaire, des mouvements anormaux de la bouche et de la face, des troubles de la marche ou des crises convulsives.

● *L'évolution des troubles*

Nous venons de l'expliquer : le début de la maladie d'Alzheimer et des troubles apparentés est souvent insidieux, marqué par des troubles de mémoire et du comportement. La maladie évolue d'une façon très variable selon la personne, et il est souvent difficile de prévoir son développement, même si, pour les spécialistes, certaines manifestations cliniques ou certains signes peuvent revêtir une valeur pronostique lors de l'examen neurologique.

On peut globalement définir trois stades d'évolution. La phase initiale d'installation de la maladie, que nous avons décrite, correspond à un déficit léger de mémoire. La phase modérée commence avec l'aggravation des troubles de

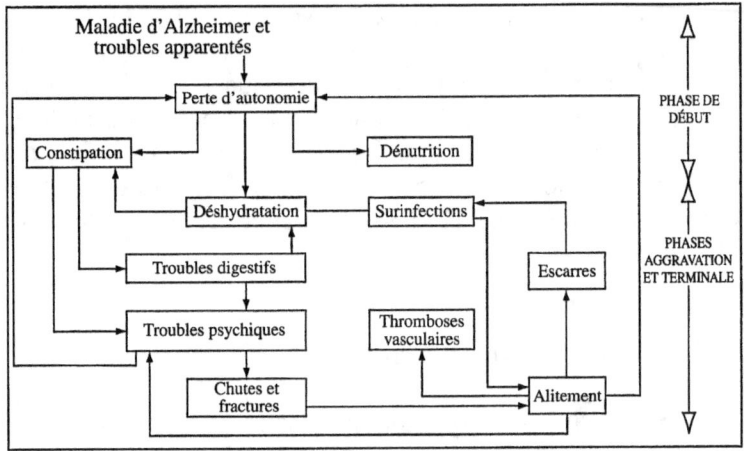

Tableau 6 : Complications possibles chez les patients qui souffrent de la maladie d'Alzheimer.

D'après *La Maladie d'Alzheimer*, Parke-Davis, Paris, 1994.

Ce schéma illustre les complications possibles chez un patient souffrant de maladie d'Alzheimer. La perte d'autonomie va se traduire par exemple par des difficultés à s'alimenter de manière correcte : le patient risque de se dénutrir et de se déshydrater. La dénutrition favorise la sensibilité aux infections. L'infection risque elle-même d'être cause d'un alitement, d'où la possibilité de thromboses vasculaires (phlébites…) ou d'escarres qui peuvent eux-mêmes se surinfecter. La prévention de ces complications est bien entendu la meilleure solution. Lorsqu'apparaît l'une d'entre elles, une action médicale précoce permettra d'éviter la cascade des complications et le risque vital qui s'ensuit.

mémoire, la personne ne devient plus capable de s'orienter dans du langage, de troubles gestuels et de la reconnaissance. Enfin, la dernière phase marque une accentuation des troubles et se traduit par une dépendance totale. Le décès survient après sept à douze ans d'évolution de la maladie en moyenne, mais ici encore de très grandes variations sont observées, d'autant qu'un grand nombre de décès étaient jusqu'à ces dernières années liés à des complications consécutives à la perte d'autonomie, notamment à des complications infectieuses et respiratoires, lesquelles sont de mieux en mieux prévenues et traitées.

Les troubles rencontrés dans la maladie d'Alzheimer et les pathologies apparentées débutent dans la grande majorité des cas par des pertes de mémoire auxquelles s'associent progressivement d'autres troubles : langage oral et écrit, réalisations gestuelles, reconnaissance, intelligence, calcul et localisation des objets. Ils sont regroupés sous le terme de *troubles cognitifs*. Il existe également des difficultés d'ordre psychologique ou psychiatrique et comportemental. Il s'agit des dépressions, états anxieux, modifications de la personnalité et du comportement, troubles du sommeil. Ils doivent être systématiquement recherchés, car ils sont à la fois cause de souffrance pour la personne malade et de difficultés pour ses proches. De plus, repérés de manière précoce, ils sont souvent accessibles à un traitement efficace.

Il importe donc d'insister encore une fois sur la très grande hétérogénéité des troubles. L'agencement variable des manifestations cliniques, l'histoire individuelle de chaque personne et de son entourage font de chaque patient un cas particulier, au-delà des traits communs repérables.

Déterminer le diagnostic

Actuellement, le diagnostic de maladie d'Alzheimer et des troubles apparentés repose d'abord sur un examen clinique réalisé par un médecin spécialiste (psychiatre, neurologue), un gériatre ou un médecin généraliste.

Après une observation du comportement spontané du patient, l'examen clinique comprend un entretien avec ce dernier et avec son entourage. Il s'agit tout d'abord de préciser le motif de la consultation. Certaines personnes en prennent d'elles-mêmes l'initiative, conscientes de l'apparition de troubles de mémoire par exemple, mais c'est un cas relativement rare. Le plus souvent, c'est la famille qui en est à l'origine, inquiète de perturbations au niveau de la mémoire, du comportement, du langage, des gestes, du savoir-faire ou des capacités de reconnaissance d'un de ses proches. En règle générale, il s'écoule un délai assez long entre le moment où les premières lacunes de mémoire sont repérées par l'entourage et celui où est demandé un avis médical. Cela est dû au fait qu'il est couramment admis que les problèmes de mémoire constituent un « phénomène normal » chez les personnes âgées. Le médecin est amené à comparer l'appréciation que chacun a respectivement des troubles afin d'évaluer le degré de perception que le patient a de sa maladie, élément qui entre, de façon déterminante, en ligne de compte dans la prise en charge qui sera proposée ultérieurement.

Cette évaluation se complète, bien entendu, par la recherche des pathologies médicales ou chirurgicales qui constituent l'histoire clinique du patient, et par celle des facteurs de risque reconnus que sont par exemple des antécédents familiaux de maladie d'Alzheimer ou de troubles apparentés. Les traitements en cours sont également précisés.

Ensuite, le médecin cherche à évaluer de manière systématique les troubles de mémoire, l'orientation dans le temps et dans l'espace, l'existence éventuelle de désordre du langage, d'altérations de la pensée, du jugement et de la reconnaissance, des perturbations gestuelles. Enfin, un examen physique général lui permet de mettre en lumière, le cas échéant, des signes susceptibles d'expliquer ou d'amplifier les troubles qui ont motivé la consultation.

A l'issue de ce premier bilan, le médecin est assez souvent amené à prescrire des examens complémentaires, dans le but de préciser le niveau d'évolution de la maladie et de rechercher des affections pouvant rendre compte des troubles présentés ou de tout ce qui peut les aggraver. Une investigation plus approfondie des niveaux de fonctionnement mnésique, du langage, des savoir-faire et des capacités de reconnaissance peut également être demandée. Cette évaluation complémentaire, appelée par les spécialistes *évaluation neuropsychométrique* et *neuropsychologique,* est essentiellement proposée dans les formes débutantes de la maladie où les troubles restent discrets, ou dans certaines formes particulières caractérisées par des symptômes peu typiques, ou encore dans le cas d'intrication de ces derniers avec d'autres troubles, notamment les dépressions.

Enfin, des examens paracliniques sont généralement effectués dans le bilan initial. Il s'agit tout d'abord d'examens biologiques : numération sanguine et vitesse de sédimentation, ionogramme sanguin, glycémie, calcémie, dosage de la vitamine B12 et des folates, de la TSH, sérologie syphilitique et VIH (suivant le contexte). Un examen du liquide céphalo-rachidien, après ponction lombaire, est parfois proposé. Un enregistrement de l'activité électrique du cerveau (électroencéphalogramme) et un examen radiologique (scanner cérébral ou parfois IRM) complètent le bilan. Des centres spécialisés utilisent l'étude du débit sanguin cérébral afin d'évaluer le métabolisme du cerveau. Il s'agit d'obtenir une image fonctionnelle en visualisant le devenir d'un traceur injecté par une veine périphérique et qui se fixe momentanément au niveau des cellules du cerveau. Cet examen est dénommé *tomoscintigraphie cérébrale d'émission monophotonique* (voir tableau 7). En pratique, après avoir expliqué le déroulement de l'investigation au patient, on l'allonge et on le met dans des conditions de repos limitant tout stimulus visuel ou auditif. Après injection, dans une veine périphérique, d'un produit qui se fixe au niveau cérébral, des clichés du cerveau sont réalisés qui permettent d'obtenir des images reflétant un état fonctionnel. Tandis que la distribution du produit traceur chez un adulte « témoin » se révèle homogène au niveau du cortex, des modifications apparaissent, certaines très typiques, dans la maladie d'Alzheimer. Un hypométabolisme ou une réduction du débit sanguin cérébral qui affectent principalement le cortex pariétal et temporal sont fortement évocateurs du diagnostic de maladie d'Alzheimer. Mais d'autres altérations de la perfusion cérébrale peuvent également être détectées.

Au terme de ce bilan, le médecin exclut les pathologies qui se traduisent par un tableau clinique proche de celui de la maladie d'Alzheimer mais qui relèvent de pathologies spécifiques, par exemple des intoxications médicamenteuses, un alcoolisme chronique, etc. Il peut alors retenir un probable diagnostic de maladie d'Alzheimer ou de troubles apparentés. Des critères diagnostiques faisant l'objet d'un large consensus sont actuellement à la disposition du corps médical.

Le médecin doit également apprécier la sévérité et la progression des troubles, afin de conseiller et d'orienter au mieux le patient et sa famille par rapport à la prise en charge et au traitement. Pour ce faire, il dispose de certains moyens d'évaluation. L'ensemble de ces tests et examens n'est bien sûr interprétable que s'il a été réalisé dans les meilleures conditions possibles. Le patient doit notamment disposer de lunettes adaptées à sa vue ou d'un appareillage auditif adéquat, s'ils sont

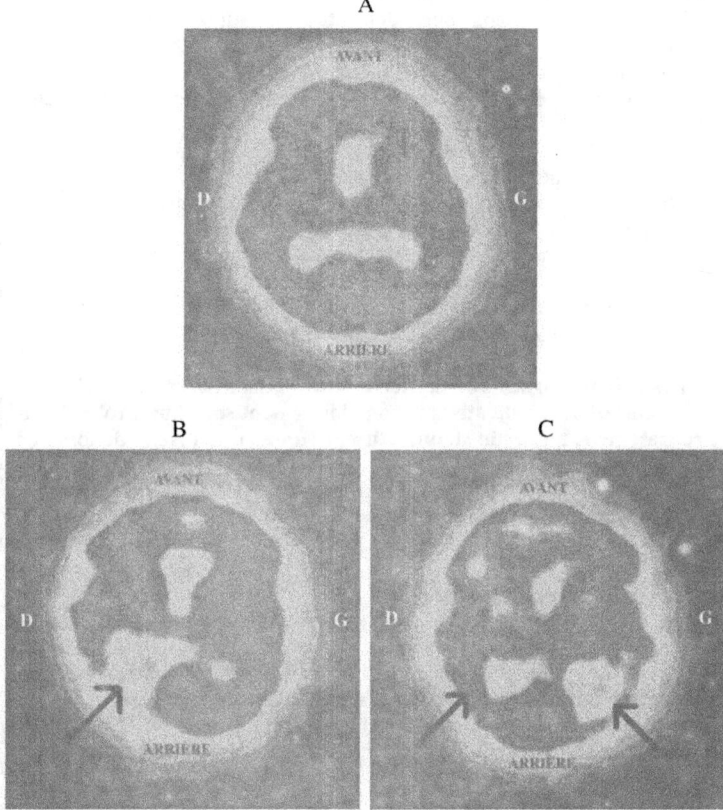

Tableau 7 : Etude tomoscintigraphique de la perfusion cérébrale au 99mTcHM-PAO (Ceretec*). Coupe transverse. (Dr Mestas, service de médecine nucléaire, Centre Jean-Perrin, Clermont-Ferrand).

A. Aspect normal.
B. Notez la diminution de la perfusion au niveau du carrefour pariéto-temporo-occipital droit chez ce patient souffrant d'une démence de type Alzheimer.
C. Notez la diminution de la perfusion bilatérale mais asymétrique des deux carrefours pariéto-temporo-occipitaux chez ce patient souffrant d'une démence de type Alzheimer.

A– Apparition de déficits cognitifs multiples, comme en témoignent à la fois :
1 – Une altération de la mémoire (altération de la capacité à apprendre des informations nouvelles ou à se rappeler les informations apprises antérieurement).
2 – Une (ou plusieurs) des perturbations cognitives suivantes :
   a) aphasie : perturbation du langage ;
   b) apraxie : altération de la capacité à réaliser une activité motrice malgré des fonctions motrices intactes ;
   c) agnosie : impossibilité de reconnaître ou d'identifier des objets malgré des fonctions sensorielles intactes ;
   d) perturbation des fonctions exécutives : faire des projets, organiser, ordonner dans le temps, avoir une pensée abstraite.

B – Les déficits cognitifs des critères A1 et A2 sont tous les 2 à l'origine d'une altération significative du fonctionnement social ou professionnel et représentent un déclin significatif par rapport au niveau de fonctionnement antérieur.

C – L'évolution est caractérisée par un début progressif et un déclin cognitif continu.

D – Les déficits cognitifs de critères A1 et A2 ne sont pas dus :
1 – A d'autres affections du système nerveux central qui peuvent entraîner des déficits progressifs de la mémoire et du fonctionnement cognitif (ex. maladie cérébro-vasculaire, maladie de Parkinson, maladie de Huntington, hématome sous-dural, hydrocéphalie à pression normale, tumeur cérébrale).
2 – A des affections générales pouvant entraîner une démence (ex. hypothyroïdie, carence en vitamine B12 ou en folates, pellagre, hypercalcémie, neurosyphilis, infection par le VIH).
3 – A des affections induites par une substance.

E – Les déficits ne surviennent pas de façon exclusive au cours de l'évolution d'un delirium.

F – La perturbation n'est pas mieux expliquée par un trouble de l'axe I (ex. trouble dépressif majeur, Schizophrénie).

L'axe 1 correspond au diagnostic de la pathologie principale pour laquelle la personne consulte.

Tableau 8 : Critères du DMS-IV pour une démence de type Alzheimer.

D'après American Psychiatric Association. *Mini DSM-IV. Critères diagnostiques* (Washington DC, 1994). traduction française par J.D Guelfi et *al.*, Masson, Paris, 1996, 384 pages.

nécessaires. On demande souvent à la famille de l'accompagner au cours de ces examens.

Un assez grand nombre d'échelles d'évaluation, destinées à apprécier la sévérité et la progression des déficits au cours de la maladie d'Alzheimer et des troubles apparentés, ont été mises au point (voir tableau 8). La plupart repose sur l'évaluation du patient et les données fournies par l'entourage. Certaines d'entre elles établissent que le score de gravité est proportionnel aux lésions histologiques du cerveau. Elles n'ont pas pour but de porter le diagnostic mais d'évaluer la gravité des troubles et surtout leur évolution en pratiquant à intervalles suffisamment éloignés des examens répétés. Utilisées par des professionnels ayant l'habitude de leur maniement et de leur interprétation, elles constituent un outil fiable et efficace pour apprécier au mieux les troubles et leur évolution.

A l'issue de ce bilan, le médecin est amené à évoquer, avec le patient et les personnes qui l'entourent, l'affection qui est à l'origine des troubles, son degré de gravité et la prise en charge thérapeutique qui peut être proposée.

Actuellement, le diagnostic de maladie d'Alzheimer repose d'abord sur un examen clinique du patient, puis sur les renseignements qu'apporte l'entourage et, enfin, sur des examens complémentaires (scanner cérébral, tests biologiques sanguins...).

Au terme de ce bilan, et après avoir exclu les maladies qui présentent des symptômes proches et qui relèvent pour certaines de traitements spécifiques, le médecin dispose d'éléments suffisants pour déceler un probable diagnostic de la maladie d'Alzheimer.

En fonction des questions posées par le patient et ses proches, le médecin pourra alors évoquer avec eux l'origine des troubles, leur degré de gravité et la prise en charge thérapeutique nécessaire.

Expliquer

Comment expliquer
les troubles inhérents
à la maladie d'Alzheimer ?

Chaque civilisation, chaque langue, chaque époque témoignent des multiples formes ou contenus que l'homme a donnés à la mémoire. Aussi la question est-elle fort complexe. Mais elle se simplifie quelque peu si l'on se borne à considérer la mémoire dans ses structures anatomiques.

Schématiquement, le cerveau, contenu dans la boîte crânienne, d'un poids d'environ 1 500 grammes, est formé de deux hémisphères, l'un droit, l'autre gauche, réunis entre eux par une structure appelée *corps calleux*. On peut constater, à l'œil nu, qu'il est composé de deux types de substances, dont la dénomination tient à la coloration. La substance grise forme la couche la plus externe et comporte de très nombreux replis ; son épaisseur varie selon sa localisation, de 1,3 à 4,5 millimètres. Les vaisseaux sanguins y apparaissent en grande quantité. Cette couche externe est appelée *cortex cérébral*. La substance grise est également présente en dehors du cortex sous forme de noyaux gris situés plus en profondeur dans le cerveau. La substance blanche est constituée de fibres nerveuses entourées d'une enveloppe riche en graisse reliant entre elles les formations de substance grise (figure 5).

Le microscope permet de visualiser la cellule nerveuse ou neurone qui constitue l'unité élémentaire présente dans l'ensemble du système nerveux (figure 6). Cette cellule comporte un corps cellulaire d'où partent des prolongements. Les uns,

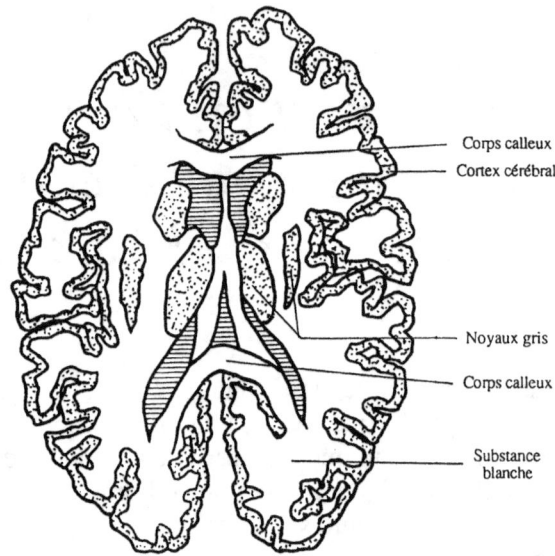

Corps calleux
Cortex cérébral

Noyaux gris

Corps calleux

Substance
blanche

Figure 5 : Schéma d'une coupe transversale du cerveau montrant les deux hémisphères cérébraux.

D'après Arnaud-Castiglioni *et al. La mémoire qui flanche*, Solal, Marseille, 1995.

Ce schéma d'une coupe transverse du cerveau montre qu'il est formé de deux hémisphères, l'un droit, l'autre gauche, réunis entre eux par une structure appelée le corps calleux. Il est composé de deux types de substances : la substance grise forme la couche la plus externe et comporte de très nombreux replis. Cette couche externe est appelée cortex cérébral. La substance grise est également présente en dehors du cortex sous forme de noyaux gris situés plus en profondeur dans le cerveau. La substance blanche est constituée par des fibres nerveuses entourées d'une enveloppe riche en graisse et qui relient entre elles les formations de substance grise.

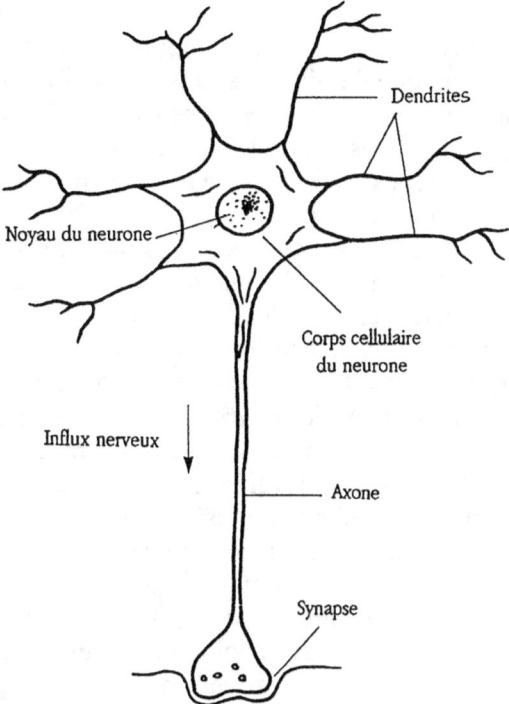

Figure 6 : Représentation schématique d'un neurone.

D'après Arnaud-Castiglioni *et al. La mémoire qui flanche*, Solal, Marseille, 1995.

Cette représentation schématique d'un neurone montre qu'il est constitué d'un corps cellulaire comportant un noyau. De ce corps cellulaire partent des prolongements fins et très nombreux appelés *dendrites* et un prolongement unique de diamètre plus important dont la longueur peut dépasser 1 mètre qui est appelé *axone*. Les neurones établissent entre eux des connexions par l'intermédiaire de synapses. C'est au niveau de la synapse que l'influx nerveux provenant du neurone provoque la libération d'une substance chimique synthétisée par le neurone et appelée *neuromédiateur*. Celui-ci se fixe sur la membrane du second neurone et provoque, par réaction chimique, la naissance d'un nouvel influx nerveux... Ainsi se transmet l'information grâce à plusieurs dizaines de neuromédiateurs.

très fins et très nombreux, rappellent par leur forme les branches d'un arbre et sont appelés dendrites. L'un d'entre eux est une fibre unique de diamètre plus important, dont la longueur peut dépasser un mètre, est appelé *axone*. La réunion des axones et des cellules nerveuses constitue des faisceaux de fibres qui, au niveau de la substance blanche, relient les noyaux gris entre eux et au cortex.

Pour que l'information circule au niveau du cerveau, il est nécessaire que les neurones établissent entre eux, par l'intermédiaire de ces prolongements, des connexions appelées *synapses*. L'influx nerveux provenant d'un neurone provoque, au niveau de la synapse, la libération d'une substance chimique synthétisée par ce neurone et appelée *neuromédiateur*. Celui-ci, une fois libéré, se fixe sur la membrane du second neurone et provoque, par réaction chimique, un nouvel influx au niveau du second neurone. On connaît actuellement plusieurs dizaines de neuromédiateurs (sérotonine, dopamine, noradrénaline, acétylcholine…). Notre cerveau comporterait environ de 50 à 100 milliards de neurones, et chacun d'entre eux de 4 000 à 10 000 synapses.

Le fonctionnement de la mémoire met en jeu à la fois le cortex cérébral et des structures situées plus en profondeur dans le cerveau. Ils constituent le *système limbique*.

● Les lésions cérébrales

C'est la découverte de lésions microscopiques particulières qui a permis en 1907 à Aloïs Alzheimer, neurologue allemand, de décrire la maladie qui porte aujourd'hui son nom.

L'examen du cerveau d'une personne souffrant de maladie d'Alzheimer permet de constater une perte de poids, souvent inférieur à 1 000 grammes, alors qu'il est normalement compris entre 1 200 et 1 500 grammes. Cette perte de substance consécutive est due à la dégénérescence de milliards de cellules nerveuses.

Grâce aux études microscopiques, des lésions cérébrales permettant d'affirmer avec certitude le diagnostic de la maladie ont pu être identifiées. Les deux principaux types de lésions sont appelés *plaques séniles* et *dégénérescence neurofibrillaire*.

Ces lésions comportent, parmi leurs constituants, des protéines normalement présentes dans l'organisme, mais qui subissent des modifications pathologiques au cours de la maladie d'Alzheimer. Ces protéines sont dénommées A β et tau. L'analyse du gène du peptide A β a démontré que certaines formes familiales de cette maladie étaient provoquées par une mutation génétique. Nous reviendrons sur cette importante question ultérieurement.

Nous avons évoqué précédemment la manière dont l'information se transmet d'une cellule nerveuse à l'autre à l'aide de substances chimiques appelées *neuromédiateurs* ou *neurotransmetteurs*. Sans entrer dans le détail, il faut savoir qu'une partie importante des circuits de neurotransmission, en particulier les circuits cholinergiques, noradrénergiques, sérotoninergiques (ainsi dénommés en fonction du médiateur chimique prévalent : acétylcholine, noradrénaline ou sérotonine) sont altérés de façon significative chez les personnes souffrant de la maladie d'Alzheimer. Cette atteinte des voies de transmission de l'information résulte des lésions cérébrales caractéristiques de cette maladie. C'est à leur niveau, en essayant de compenser ces déficits, en particulier cholinergiques, qu'agissent les traitements médicamenteux proposés actuellement. Mais l'atteinte simultanée de plusieurs systèmes de neurotransmission est l'un des éléments qui limite l'efficacité des thérapeutiques récentes, puisqu'elles agissent essentiellement au niveau des circuits cholinergiques, mais n'ont pas d'action reconnue sur les autres systèmes de neurotransmission également malades.

Comment explique-t-on, en l'état actuel des connaissances, la dégénérescence et la mort des cellules nerveuses qui, du fait de la destruction de certaines zones du cerveau, aboutissent aux troubles observés dans la maladie d'Alzheimer ?

Il s'agit très probablement d'une longue réaction en chaîne qui se déroule sur plusieurs dizaines d'années. Le scénario serait le suivant. Chez certaines personnes existeraient des facteurs génétiques conduisant à l'élaboration de protéines anormales, tandis que, chez d'autres, ce pourrait être des facteurs externes, notamment environnementaux, qui seraient à l'origine de ces dysfonctionnements. Quoi qu'il en soit, il se forme des lésions dénommées *plaques séniles*, puis dégénérescence neurofibrillaire dans l'ensemble du cerveau. Ce processus dégénératif envahit progressivement la quasi-totalité de la substance grise corticale, mais aussi d'autres structures du cerveau.

On peut ainsi concevoir qu'il existe un stade où commencent à se développer des lésions cérébrales, sans qu'aucun trouble ne soit ressenti. Il faut que soit atteint un certain seuil d'extension de ces lésions pour que deviennent perceptibles des troubles de mémoire, du langage ou autres. Notre cerveau comportant de 50 à 100 milliards de neurones, ce sont plusieurs millions, voire milliards, de cellules nerveuses qui doivent être lésées pour que les signes évocateurs de la maladie apparaissent.

● *Les données génétiques*

Nous avons évoqué, précédemment, le fait qu'une personne dont l'un des parents au premier degré est atteint de maladie d'Alzheimer ou de troubles apparentés présente un risque plus élevé de souffrir elle-même de la maladie ; ce risque relatif est estimé à 2,6 (par rapport à une population témoin pour laquelle le risque est 1) lorsqu'un seul de ses apparentés est atteint, mais s'élève à 7,5 chez les personnes ayant au moins deux apparentés malades.

Les études que les chercheurs ont pu mener auprès de plusieurs centaines de familles ont montré que c'est uniquement pour une minorité d'entre elles, soit environ 1 000 cas sur les

250 000 à 300 000 personnes touchées en France par la maladie, qu'existe un déterminisme génétique prépondérant. Dans ces cas, la maladie débute en général précocement, avant 60 ans. Pour les spécialistes, il s'agit d'une *transmission autosomique dominante*. Trois gènes responsables ont pu être identifiés respectivement sur les chromosomes 21, 14 et 1. La découverte des mutations génétiques responsables et des mécanismes aboutissant à la formation des lésions cérébrales permet d'envisager, dans l'avenir, des interventions thérapeutiques qui éviteraient leur formation, dès la première étape du processus pathologique.

La très grande majorité des cas de maladie d'Alzheimer et troubles apparentés ne relève pas des mécanismes de transmission que nous venons d'évoquer. En fait, il s'agit pour 5 à 10 % des personnes malades de cas familiaux, mais débutant tardivement (après 65 ans), et pour les autres, plus de 80 % d'entre elles, de cas sporadiques pour lesquels la prédisposition génétique est beaucoup plus faible.

L'une des avancées majeures de la recherche menée ces dernières années a été d'éclaircir le rôle des facteurs génétiques dans les formes les plus fréquentes de la maladie. Une protéine, nommée *apolipoprotéine E,* dont le rôle principal consiste à transporter des lipides, parmi lesquels le cholestérol, peut participer, sous certaines formes, à la constitution des lésions cérébrales spécifiques à cette maladie. En fait, trois formes de cette protéine existent dans la population générale – Apo E_2, Apo E_3 et Apo E_4 – et sont produites par trois allèles homologues du gène de la protéine (Apo E-ε2, Apo E-ε3 et Apo E-ε4) situés sur le chromosome 19. Du très grand nombre de travaux scientifiques consacrés à cette question, il ressort qu'il existe souvent une augmentation notable de l'allèle ε4 chez les personnes malades par rapport aux témoins. De plus, les personnes porteuses de deux allèles ε4 développeraient la maladie de manière plus précoce que celles porteuses d'un seul allèle ε4.

Toutefois, soulignons que si l'allèle ε4 du gène Apo E intervient comme un gène de susceptibilité en prédisposant les individus qui en sont porteurs, et doit donc être considéré comme un marqueur de risque puissant à l'échelon d'une population, le génotype de l'Apo E ne peut en aucun cas être considéré comme un argument diagnostique individuel. Ce n'est ni une condition nécessaire ni une condition suffisante au développement de la maladie. En effet, près de 50 % des personnes atteintes ne sont pas porteuses de l'allèle ε4 et, à l'inverse, on connaît des cas de gens âgés porteurs de deux allèles ε4 tout à fait indemnes de cette maladie. Il convient donc, actuellement, à l'exception de très rares formes familiales, de se montrer rassurant face à l'inquiétude légitime des familles en insistant sur le caractère sporadique de la maladie, d'autant que celle-ci n'a réellement de risque de se développer chez les descendants et collatéraux qu'à un âge avancé.

Les troubles observés au cours de la maladie d'Alzheimer et les pathologies apparentées ont un rapport avec des lésions cérébrales. La découverte de ces lésions microscopiques particulières a permis à Aloïs Alzheimer de décrire la maladie qui porte aujourd'hui son nom. Ainsi se forment-elles probablement au terme d'une longue réaction en chaîne qui se déroule sur plusieurs dizaines d'années. A un stade initial, elles commencent à se développer sans que la personne atteinte ne ressente de trouble. Il faut qu'existe un certain seuil d'extension de ces lésions pour que deviennent perceptibles des troubles de mémoire, du langage ou autres. Les études génétiques apportent, à l'heure actuelle, un éclairage qui permet de mieux comprendre comment et en partie pourquoi se constituent de telles lésions. De plus, elles aident à progresser vers des solutions thérapeutiques.

Soigner

Les traitements

Actuellement, il est difficile de parler de guérison de la maladie d'Alzheimer et des troubles apparentés. Mais il existe un ensemble de possibilités thérapeutiques, de formes de soins et de prises en charge qui apportent, le plus souvent, une sensible amélioration. Dans tous les cas, la qualité des prises en charge proposées est liée à leur personnalisation. Elles doivent être adaptées à chaque personne, à chaque moment de l'évolution de la maladie, et requièrent les compétences de plusieurs intervenants agissant en synergie. Le rôle de coordinateur sera assuré par le médecin, plus particulièrement le médecin praticien : il est le plus apte, en effet, à contrôler l'ensemble des thérapeutiques et interventions nécessaires pratiquées par les intervenants médicaux, paramédicaux, structures sanitaires et sociales, structures associatives. D'une manière générale, le plus important est de privilégier le dialogue. Même si la maladie peut modifier l'affectivité et les possibilités de communication, il faut considérer que le malade est pourtant en mesure, et ce jusqu'à un stade avancé, de communiquer, le plus souvent sur un mode intuitif et global.

Le dialogue recèle plusieurs vertus. Il permet au médecin de s'enquérir des idées, souhaits et attentes du malade concernant d'une part les possibilités thérapeutiques, les traitements proposés, et, d'autre part, les questions relatives à l'évolution des troubles dont il souffre, même si elles sont rarement posées de manière explicite. Eluder cette question n'est en aucun cas une solution. Une réponse doit être apportée, avec tact, adaptée à chaque situation. Dans tous les cas, il est primordial d'éviter deux écueils : se dérober aux questions embarrassantes ou imposer une information qui n'est pas forcément souhaitée. Les familles, elles aussi, expriment un besoin de dialogue. Les différents intervenants avec lesquels elles sont en contact ont pour mission de mettre en place un dialogue capable de répondre aux questions qu'elles se posent et posent sur le diagnostic de la maladie, les thérapeutiques possibles, l'évolution, mais également sur les risques qu'elles-mêmes ou leur descendance peuvent encourir. A cette question comme aux autres, il faut tenter de répondre de manière claire et précise, en soulignant qu'en dehors de très exceptionnelles formes familiales il s'agit d'une maladie dont la survenue est sporadique et uniquement à un âge avancé de la vie. La nature et la gravité de la maladie doivent être annoncées de manière nuancée et prudente, et précisées lors des consultations successives. Dans la très grande majorité des cas, la famille ne souhaite pas rester dans l'ignorance lorsqu'il s'agit d'une maladie chronique, lourdement invalidante. D'autant qu'elle sera, en particulier le conjoint ou la conjointe, le plus souvent et pendant très longtemps, parfois même pendant toute la durée de la maladie, le principal soutien.

La connaissance du diagnostic constitue pour ceux qui entourent le malade une étape dans la prise de conscience de la détérioration de ses capacités. Normalement, un certain nombre de réactions psychologiques apparaissent, parmi lesquelles des réactions anxieuses ou dépressives. C'est à ce moment que les proches auront particulièrement besoin d'un soutien, non seulement matériel, mais aussi psychologique, reposant en partie sur l'écoute et la compréhension de leurs difficultés. Les soutenir apporte indirectement un mieux pour le malade car les réactions de l'entourage, ne l'oublions pas, influent sur l'évolution de la maladie.

● *Les médicaments*

Les médicaments actuellement proposés ont pour but de compenser le déficit en neuromédiateurs cholinergiques. D'autres, plus anciens, d'action non spécifique, n'ont plus, en pratique, qu'une place extrêmement restreinte. Par ailleurs, de nombreux produits, appartenant à des classes pharmacologiques variées, sont à l'étude.

A la date de rédaction de cet ouvrage, trois molécules visant à corriger le déficit cholinergique sont commercialisées en France : la tacrine (Cognex*) a reçu, depuis 1994, l'autorisation de mise sur le marché ; le chlorydrate de donepezil (Aricept*) et la rivastigmine (Exelon*) depuis 1998. Le principe d'action de ces produits est de potentialiser la transmission défaillante des neuromédiateurs cholinergiques au niveau des synapses, entre les neurones. Leur efficacité suppose que l'innervation cholinergique ne soit pas totalement détruite. Leur action est donc bénéfique sur des personnes dont la maladie est légère ou modérément sévère. Cependant, cette action, visant à augmenter la durée de vie de l'acétylcholine dans l'espace synaptique, n'est probablement pas la seule, et l'activité de ces produits, qui fait encore l'objet de nombreuses études, est peut-être plus étendue. Seuls les psychiatres, les neurologues ou les gériatres en assurent la prescription initiale. Le renouvellement et la surveillance du traitement peuvent être effectués par un autre médecin, notamment généraliste, mais un bilan de contrôle doit être effectué par le service qui a initié le traitement tous les six ou douze mois. La délivrance de la tacrine est soumise, du fait d'une possible toxicité hépatique, à une surveillance particulière durant le traitement. Ce n'est pas le cas pour le chlorydrate de donepezil et la rivastigmine. Dans tous les cas, il s'agit d'une prise buccale, une fois par jour pour l'Aricept, deux fois pour l'Exelon, quatre fois pour le Cognex. Ces médicaments impliquent des contre-indications et des effets indésirables. La prescription, au cas par cas, est donc obligatoire. Par ailleurs une surveillance clinique régulière, notamment cardiaque, est nécessaire. Si les effets – de toute façon rarement spectaculaires – s'avèrent variables suivant les patients, il faut reconnaître qu'il s'agit d'une avancée réelle en matière de traitement symptomatique de la maladie d'Alzheimer.

Rappelons une fois encore que ce traitement médicamenteux doit s'intégrer dans une prise en charge globale des patients, le plus tôt possible, articulant les apports de la pharmacologie aux autres thérapeutiques actuellement disponibles.

Les enjeux, qu'ils soient appréhendés en termes de souffrance humaine ou socio-économiques, conduisent à d'importantes recherches, menées aussi bien sur la compréhension des phénomènes pathologiques que sur les moyens thérapeutiques à mettre en œuvre. Les progrès, très sensibles, effectués ces dernières années, constituent un encouragement, mais ne doivent pas masquer la complexité du problème. Les traitements qui visent à une substitution neurochimique semblent appelés à se développer dans un avenir proche. Mais les traitements que l'on pourrait qualifier de préventifs, et qui empêcheraient la formation des lésions cérébrales ou bloqueraient des mécanismes à l'origine de la mort des neurones, ne sont envisageables de manière raisonnable que dans un avenir beaucoup plus lointain. Ils se heurtent, entre autres obstacles, à l'hétérogénéité des différentes formes de la maladie.

Par ailleurs, les troubles du comportement et de l'humeur inhérents à la maladie peuvent et doivent également bénéficier de traitements appropriés. Ainsi les médicaments tranquillisants se révèlent-ils utiles en cas d'anxiété, d'agitation ou de troubles du sommeil. Là encore, leur prescription doit toujours être effectuée par un médecin, après évaluation des causes des symptômes observés, et uniquement s'il n'a pas été possible d'y remédier d'une autre façon. Dans tous les cas, la posologie minimale efficace et la durée limitée du traitement seront recherchées. Des mesures thérapeutiques associées, telles qu'une prise en charge psychothérapique individuelle ou de groupe peuvent être proposées pour relayer ce traitement.

Les médicaments antidépresseurs apportent un bénéfice très sensible, notamment dans le cas d'une symptomatologie dépressive patente. De nombreux produits existent actuellement dans cette classe thérapeutique, ce qui permet au médecin d'adapter au mieux la prescription en fonction des caractéristiques cliniques du patient.

Les médicaments neuroleptiques, quant à eux, sont surtout utiles lorsque surviennent des hallucinations ou des idées délirantes.

Dans tous les cas, le médecin, qui connaît non seulement le pronostic mais également les antécédents du patient, ses maladies et traitements en cours, sa qualité de vie, sera en mesure de hiérarchiser les objectifs thérapeutiques. La prise en compte des bénéfices attendus du traitement et des risques, notamment en matière d'effets secondaires, détermine la décision.

● *Les médicaments... à éviter*

Il faut toujours avoir présent à l'esprit qu'un certain nombre de médicaments peuvent aggraver les troubles. Il va sans dire que l'automédication et l'ensemble des prises médicamenteuses qui ne sont pas accomplies sous le contrôle d'un médecin exposent à de nombreuses complications. Les effets des médicaments sont parfois différents de ce qu'ils sont chez un adulte d'âge moyen ou même chez une personne âgée, car les personnes souffrant de maladie d'Alzheimer sont plus fragiles. Elles peuvent difficilement évaluer et signaler un effet secondaire qui n'est pas toujours repéré rapidement par l'entourage. Enfin, il ne faut pas méconnaître les interactions entre les médicaments et d'autres pathologies fréquentes chez des personnes de cet âge. Il suffit de se rapporter aux chiffres donnés par l'enquête Paquid, réalisée sur 4 000 personnes de plus de soixante-dix ans vivant à leur domicile. Elle montre la répartition suivante : 11 % d'entre elles seulement ne prenaient aucun médicament, 50 % de un à quatre par jour, 38 % de cinq à dix et 1 % plus de dix. Le nombre moyen de médicaments absorbés par jour et par personne était de 4,5. Il faut donc toujours en référer au médecin avant la prise d'un autre médicament non prescrit.

Parmi les médicaments susceptibles d'aggraver l'état général, il faut relever l'ensemble des produits présentant des propriétés anticholinergiques, qui entrent dans de nombreuses prescriptions. Ils sont susceptibles d'induire des confusions mentales, voire l'apparition d'éléments délirants ou d'hallucinations. En principe, les symptômes régressent à l'arrêt du traitement. Il faut également éviter les médicaments dits *agonistes dopaminergiques* qui peuvent conduire également à une confusion mentale.

Il ne saurait être question ici d'établir une liste exhaustive de l'ensemble des produits qui requiert une grande vigilance. La seule règle de conduite à respecter est de signaler au médecin, de manière systématique, tout *nouveau traitement* prescrit ou administré. Et, bien entendu, il faut veiller à ce que les médicaments soient rangés dans un lieu sûr, afin d'éviter les erreurs possibles et les risques d'intoxication.

● *Le traitement des pathologies associées*

Les maladies intercurrentes, c'est-à-dire celles qui surviennent au cours d'une autre maladie, sont systématiquement recherchées, car le patient a fréquemment des difficultés à exprimer avec précision les symptômes qu'il ressent. Or ces affections retentissent, quelquefois, de manière précoce sur son comportement et son état général, et peuvent donc présenter un risque vital. Ce sont le plus souvent des pathologies simples, notamment infections (bronchiques, urinaires...), problèmes orthopédiques et podologiques, troubles digestifs (constipation, diarrhée...). Il faut bien entendu que le diagnostic et le traitement interviennent le plus précocement possible afin de limiter le déséquilibre induit.

Par ailleurs, il faut s'intéresser systématiquement aux déficits sensoriels, en particulier à la vision et à l'audition. Certaines mesures thérapeutiques simples, tel le port d'un appareil de correction auditive, apportent un mieux. D'autres thérapeutiques, notamment celles qui relèvent d'une intervention chirurgicale, sont parfois plus délicates à résoudre. Dans tous les cas, les médecins privilégient l'aspect fonctionnel, l'autonomie, le confort et les possibilités d'adaptation du patient, en tenant compte de son avis et de celui de sa famille.

● *Les ateliers de mobilisation et de stimulation*

Il s'agit de prises en charge destinées à aider les personnes souffrant de maladie d'Alzheimer, dont certaines fonctions sont altérées, à utiliser au mieux les autres capacités dont elles disposent, leur permettant ainsi de pallier, en partie, les déficits dont elles souffrent. Ces prises en charge permettent, avec les traitements médicamenteux, de maintenir à leur niveau optimum leurs capacités et leur autonomie.

Les déficits inhérents à la maladie d'Alzheimer sont hétérogènes. Ce qui veut dire que certains aspects du fonctionnement mental vont être affectés de manière prépondérante, tandis que d'autres seront, pendant une durée parfois prolongée, épargnés. C'est une notion fondamentale qu'il convient de ne jamais oublier lorsqu'on envisage des actions de mobilisation et de stimulation.

Différents programmes de mobilisation et stimulation cognitives ont été étudiés et proposés. Schématiquement, le principe repose sur la réhabilitation de capacités mentales délaissées, la mise en valeur de ressources disponibles, très souvent négligées, et la réduction de l'anxiété ou des appréhensions. La personne adopte alors un comportement plus conciliant face aux tâches à accomplir. Redonner confiance est une étape indispensable pour la bonne marche du traitement. Une telle prise en charge est bénéfique dans une grande majorité des cas. Il reste bien entendu à l'adapter à la situation de chacun et notamment au degré d'évolution de la maladie. Les séances se présentent, soit individuellement, soit en petits groupes. Elles doivent être plutôt brèves (de l'ordre de 30 minutes) et suivre un rythme souple ; leur fréquence varie de deux à trois par semaine, à une tous les quinze jours, suivant les indications. Ces « ateliers de mémoire » situent toujours le patient en référence à la réalité quotidienne et recherchent une atmosphère conviviale. Ils peuvent par exemple s'inscrire dans le cadre d'un hôpital de jour, ce qui offre également l'avantage d'alléger quelque peu la charge que représente pour les proches l'accompagnement quotidien.

L'ensemble des exercices proposés répond à plusieurs orientations. L'une d'entre elles consiste à faciliter les performances en termes de mémoire ; une autre à apprendre de nouvelles connaissances afin d'être plus autonome, en exploitant les capacités d'apprentissage qui sont demeurées intactes. Enfin, l'utilisation d'aide-mémoire externes (carnet...) et l'aménagement de l'environnement permettent de réduire l'impact des déficits sur le fonctionnement journalier.

La difficulté des exercices est fonction du niveau intellectuel du patient, de ses intérêts actuels ou antérieurs. Prenons par exemple les exercices relatifs à la mémorisation des objets. On étale un certain nombre d'objets de manière très distincte afin qu'ils puissent être observés pendant une minute environ, on les énumère à haute voix, puis on les met tous dans un sac ; trente secondes après, on demande de nommer chaque objet ; en groupe, l'ensemble des personnes désigne les objets présentés et doit, s'il en manque, les retrouver collectivement.

D'autres exercices ont pour but de favoriser les associations (on propose au malade d'apprendre une liste composée de six paires de mots et, immédiatement après, on lui fournit le premier mot de chaque couple dont il doit donner l'autre), les enchaînements structurés et l'organisation de données (le vocabulaire est sollicité par un jeu de questions sur les noms de fleurs, de pays, de villes ou de personnages célèbres commençant par une lettre donnée, ou c'est la reconstitution logique des phrases de proverbe écrites en désordre qui est requise).

Très souvent, la collaboration active du conjoint ou d'un proche aux différentes étapes de l'évaluation et des ateliers est sollicitée par l'équipe. Il assurera un rôle de relais dans la mise en œuvre au domicile des stratégies qui ont été apprises lors des ateliers : assister par exemple le patient dans l'utilisation des aides externes, favoriser l'utilisation de ses capacités préservées sur lesquelles il peut s'appuyer et interagir avec lui, évitant ainsi le recours aux capacités déficitaires.

Les spécialistes insistent de plus en plus, actuellement, sur la possibilité d'inscrire l'ensemble de ces interventions dans une perspective préventive, non pas de l'installation des lésions cérébrales, mais au moins des symptômes qui leur sont liés. Nous savons que l'environnement, les stimulations intellectuelles, affectives et sociales, retardent l'apparition de ces troubles, voire atténuent leur intensité. La qualité et la quantité des acquis antérieurs ont une grande influence. En tout état de cause, ces mobilisations et stimulations sont d'autant plus efficaces qu'elles sont entreprises dès l'apparition des premiers troubles.

● *Les prises en charge des troubles du langage et de la communication*

On doit fréquemment stimuler le langage, et réactiver les investissements socio-affectifs, si possible en impliquant l'entourage. Il s'agit non seulement de proposer au patient un certain nombre d'attitudes par rapport au langage susceptibles d'améliorer les échanges, mais surtout de le faire participer à des conversations. C'est une thérapeutique depuis longtemps adoptée dans les pays anglo-saxons et qui se développe actuellement dans les pays francophones. Elle a pour objectif de permettre de parler, en exploitant les aptitudes et les centres d'intérêt, de faciliter le partage d'idées. On a parfois la surprise d'entendre une personne très diminuée, considérée comme mutique, prononcer des mots ou l'ébauche d'un discours.

Ici encore, les meilleures chances de résultat existent lorsqu'on associe les prises en charge réalisées dans le cadre d'ateliers en milieu hospitalier à une stimulation au quotidien par l'entourage familial.

● *Autres prises en charge*

D'autres prise en charge concernent les savoir-faire, c'est-à-dire les gnosies (capacités de reconnaissance) et les praxies (réalisation gestuelle) altérées dans le cadre de la maladie d'Alzheimer. Précisons ce que cela recouvre. Il est très important de permettre au patient d'utiliser d'une manière optimale les capacités dont il dispose, pour favoriser le maintien de son autonomie et l'image qu'il a de lui-même. Ainsi proposera-t-on des ateliers qui ont pour but de mobiliser et de stimuler l'orientation spatiale (exercices basés sur le dessin du plan de la maison ou autour d'une carte de France...), l'orientation dans le temps, la reconnaissance visuelle, les activités gestuelles, le calcul et le maniement des chiffres, ainsi que la logique.

Dans ce contexte, il faut être particulièrement attentif au fait que de nombreux autres facteurs peuvent accentuer les déficits, soit parce qu'ils diminuent la motivation (isolement social, coupure par rapport au contexte antérieur, dépression, anxiété...), soit parce qu'ils limitent les capacités de reconnaissance. C'est le cas des déficits sensoriels, auditifs ou visuels, des troubles de la sensibilité cutanée et de ceux qui occasionnent des gênes (troubles moteurs et en particulier les tremblements).

● *L'ergothérapie*

Le principe de l'ergothérapie est de traiter les personnes en s'appuyant sur des travaux manuels simples et pratiques. Ces prises en charge se sont surtout développées dans les institutions hospitalières, mais aussi dans certains établissements de moyen et long séjours. Il peut s'agir d'une ergothérapie occupationnelle sous forme d'activités d'animation ou d'une ergothérapie fonctionnelle palliative qui aura pour but de mobiliser le patient en l'encourageant à sortir, de l'aider à s'ouvrir au monde extérieur ou bien de le stimuler dans la réalisation d'actes usuels.

Citons, par d'exemple, les ateliers de modelage qui développent à la fois un aspect ludique et une dimension expressive, et permettent de stimuler les capacités de reconnaissance (gnosies) et de réalisation gestuelle (praxies). Selon le degré d'évolution de la maladie, on propose de réaliser, à l'aide de pâte à modeler, pâte à sel, etc., des modèles de difficultés plus ou moins grandes : personnages, fleurs, boules de même taille ou de tailles différentes. Les ateliers de dessin, collage, cuisine, chant peuvent également être proposés.

La musicothérapie, pratiquée dans quelques institutions lors de prises en charge individuelles ou de groupe, utilise la musique à des fins thérapeutiques : l'écoute de certains airs doit provoquer des émotions ou permettre de retrouver des comportements antérieurs. Elle s'adresse à des personnes dont la maladie est extrêmement évoluée, surtout si elles étaient amateurs de musique auparavant ou ont bénéficié d'une formation musicale durant leur existence. En revanche, les troubles de l'audition la rendent inopérante.

● *La kinésithérapie*

Il s'agit d'exercer une action thérapeutique sur l'appareil locomoteur grâce à des mouvements induits au niveau de différents segments des membres ou du tronc, ou bien par des massages. Ces techniques, très utilisées chez les personnes âgées, présentent des indications nombreuses, mais doivent tenir compte non seulement des troubles ponctuels traités, mais aussi de l'état général et, en l'occurrence, de l'état mental.

La kinésithérapie revêt une action préventive (elle a pour but d'éviter l'apparition ou l'aggravation de certains troubles) ou bien curative (orientée vers le traitement de problèmes spécifiques). Prenons l'exemple de la kinésithérapie respiratoire. Les surinfections pulmonaires sont une complication fréquente chez les personnes qui souffrent de maladie d'Alzheimer. Dans ce cas, elle aide à éliminer des sécrétions surabondantes et à conserver une bonne cinétique respiratoire. Elle peut également rééduquer le synchronisme des mouvements respiratoires, du diaphragme et désencombrer les voies aériennes, ou tout simplement indiquer une position correcte dans le lit. Les massages abdominaux, quant à eux, favorisent le fonctionnement intestinal et évitent la constipation. Par ailleurs, la kinésithérapie améliore les habitudes motrices et, en élargissant l'espace qu'investit le patient, diminue la déambulation. A un stade plus avancé, elle aura pour but de s'opposer à l'immobilité, d'exercer l'équilibre statique et dynamique, de mobiliser et de stimuler le patient par rapport à son schéma corporel (en l'aidant à prendre conscience des différentes parties de son corps, en favorisant et facilitant des gestes utilitaires, l'habillage ou la toilette).

● *Les prises en charge psychologiques*

La maladie d'Alzheimer est à l'origine de modifications majeures dans les rapports que la personne atteinte établit avec elle-même et avec le monde extérieur. L'entourage peut être également très perturbé. Ces bouleversements psychologiques motivent très souvent une demande de soutien, bénéfique à tous.

Le soutien psychologique commence dès les premières rencontres, à travers l'écoute des difficultés de chacun. La vie psychique d'une personne qui souffre de maladie d'Alzheimer, même désarticulée, garde ses caractéristiques propres et sa cohérence. En étant attentif à ses comportements (calme ou agitation, repli, voire brusque rupture de l'entretien), malgré la présence de troubles du langage majeurs, on peut déceler des éléments qui aident à la comprendre. De telles prises en charge n'ont pas pour objet de modifier directement les performances cognitives, mais plutôt d'apaiser le malade et de contribuer à une meilleure adaptation à son environnement.

Le soutien psychologique est également d'un grand secours à ceux qui ont en charge le patient. Cette demande, fréquente, n'est pas toujours explicitement formulée et nécessite souvent, dans un premier temps, qu'on en précise les contours. Il peut s'agir d'une demande d'information ou de soutien ponctuel ; dans d'autres cas, des membres de l'entourage ressentent le besoin d'un soutien psychologique face aux difficultés quotidiennes qu'ils rencontrent et l'inquiétude induite par les risques génétiques. On ne saurait trop, à cet égard, souligner l'intérêt des groupes de familles au sein desquels l'entourage trouve, à travers l'expérience et le vécu des autres, des réponses à des questions qu'il se pose.

Bien que l'on ne puisse pas parler, actuellement, de guérison de la maladie d'Alzheimer et des troubles apparentés, il existe des possibilités thérapeutiques. Dans ce cadre, il est nécessaire de prendre en compte la personne et ses proches dans leur globalité, et de favoriser le dialogue – élément fondamental –, notamment avec le médecin.

La première thérapeutique est constituée par les médicaments qui visent à compenser une partie du déficit au niveau cérébral. D'autres produits sont à l'étude, dont certains ne devraient pas tarder à être mis sur le marché français. Les troubles du comportement et de l'humeur peuvent bénéficier de traitements symptomatiques appropriés, très souvent efficaces, qui améliorent l'état des patients. Néanmoins, il ne faut pas ignorer qu'un certain nombre de médicaments peuvent aggraver les troubles. Il faut aussi tenir compte des maladies intercurrentes et des pathologies associées (déficits sensoriels, en particulier de la vue ou de l'audition). Les thérapeutiques proposées privilégient l'aspect fonctionnel, l'autonomie, le confort et les possibilités d'adaptation.

Des thérapeutiques non médicamenteuses constituent également une aide précieuse : psychothérapies, ateliers de mobilisation et stimulation. Il s'agit de prises en charge destinées à aider une personne dont certaines fonctions sont altérées, à utiliser au mieux les autres capacités dont elle dispose, et pallier ainsi, en partie, les déficits dont elle souffre. Selon les besoins, ces thérapeutiques seront axées sur la mémoire, les troubles du langage et de la communication, les troubles des savoir-faire. En tout état de cause, ces mobilisations et stimulations sont d'autant plus efficaces qu'elles sont entreprises dès l'apparition des premiers troubles. C'est en associant des prises en charge réalisées dans le cadre d'ateliers à une stimulation au quotidien par l'entourage familial que l'on obtient les meilleurs résultats. L'ergothérapie et la kinésithérapie y participent également.

Conseils pour la vie quotidienne

● La communication

Communiquer fait partie des besoins essentiels de tout être humain. Les échanges d'affection, de confiance, d'intérêt, sont vitaux. Or les possibilités de communication se dégradent assez rapidement chez ces malades. Si les troubles cognitifs apparaissent comme la principale cause, ils se complètent par des troubles psychologiques parmi lesquels l'anxiété et la dépression. Dans ce dernier cas, la communication avec la personne malade s'altère vite ; la rupture est nette par rapport à son comportement antérieur. De telles modifications, lorsqu'elles sont observées, doivent conduire à en rechercher les causes afin d'intervenir rapidement. Le plus souvent, c'est possible. Il ne faut donc pas hésiter à évoquer la question avec le médecin et l'équipe soignante. L'amélioration de l'état psychologique du malade lui évitera, ainsi qu'à son entourage, une souffrance pénible, et permettra une meilleure qualité de vie quotidienne. D'autre part, les troubles sensoriels (baisse de l'acuité auditive ou visuelle) aggravent les difficultés de communication verbale ou écrite et augmentent l'isolement. Or des traitements (intervention sur une cataracte, appareils auditifs, etc.) peuvent améliorer sensiblement la situation.

Quel que soit le stade d'évolution, il faut respecter des principes de base aptes à favoriser la communication. Tout d'abord, être attentif aux facteurs susceptibles d'augmenter les difficultés de communication, qu'ils soient propres à la personne (altération de l'acuité auditive...) ou liés à l'environnement. Les bruits parasites sont particulièrement gênants, aussi faut-il s'efforcer de les limiter. S'il n'est pas facile d'agir sur certaines sources sonores (travaux dans le voisinage, bruit de la circulation automobile, etc.), d'autres sont plus accessibles. Fermer la fenêtre, éteindre la radio ou la télévision permettent de limiter un fond sonore perturbant.

Surtout, il faut s'adapter au niveau de compétences de la personne, faire preuve de patience, valoriser, stimuler, l'inciter à s'appuyer sur les capacités dont elle dispose pour communiquer.

Le langage. Les difficultés de communication sont source de souffrance, d'autant plus importante que la pathologie est plus évoluée. En effet, si, au début de la maladie, remédier à un manque modéré du mot est tout à fait réalisable, il est plus difficile de pallier le déficit majeur qui s'installe à une phase plus évoluée. Alors même que la conversation devient inexistante, il faut garder à l'esprit que la communication ne repose pas uniquement sur le langage oral. Une communication non verbale, globale, intuitive, persiste même à des phases très avancées et permet des relations affectives.

Pour bien se faire comprendre, il faut parfois répéter l'information plusieurs fois en utilisant des termes différents. Mieux vaut énoncer une phrase par étape et passer à la phrase suivante lorsque l'étape précédente est réalisée : « Veux-tu sortir dans le jardin ? » puis, une fois dans le jardin : « Veux-tu cueillir des fleurs ? » plutôt que de dire : « Veux-tu aller dans le jardin pour cueillir des fleurs ? »

D'autre part, il faut mobiliser l'attention de la personne avant de lui parler, soit en faisant précéder les phrases par l'énoncé de son prénom, soit en la touchant doucement pour attirer son attention. Se placer bien en face lui permet de s'aider du contact visuel et de s'appuyer sur les modes de communication non verbale, tels que la mimique qui accompagne le discours de l'interlocuteur. Les phrases doivent être simples et courtes, et il est souvent utile d'accompagner les paroles de gestes adéquats. Ainsi, on peut dire : « Veux-tu mettre tes lunettes ? » tout en désignant de la main l'endroit où elles sont posées, voire les tendre.

Il est fondamental d'aider la personne malade à trouver l'information ou le mot qui manque et non pas de l'énoncer à sa place. Donner des indices, stimuler, inciter, lui permet de faire travailler sa mémoire. Si elle ne trouve pas facilement un mot, engageons-la à employer un synonyme ou une périphrase, ou bien proposons deux mots, afin qu'elle choisisse le plus approprié. On peut également l'aider à préciser sa pensée, en posant une question par rapport à ce qu'elle vient de dire, énoncée de telle sorte qu'elle constitue un support pour la réponse, par exemple en offrant le choix entre deux possibilités (« Veux-tu t'asseoir dans le fauteuil ou sur le canapé ? »).

La communication non verbale. Il importe de stimuler sa curiosité, de l'encourager à s'intéresser à ce qui se passe autour d'elle. Favoriser la lecture, de livres ou de journaux, choisis avec elle et en fonction de ses goûts, l'inviter à écouter la radio ou à suivre une émission à la télévision constituent une étape qui sera plus bénéfique encore si elle peut l'inciter à s'exprimer devant un petit groupe afin que ses échanges ne se limitent pas à un seul interlocuteur. Les jeux de société (Scrabble, mots croisés…) servent également de base à des échanges tout en présentant l'avantage de canaliser l'attention et de mobiliser les capacités encore préservées. De même, les échanges autour de dictons, de proverbes, faisant appel à une mémoire culturelle, le plus souvent maîtrisée, sont valorisants. Ils peuvent facilement être présentés sur un mode ludique en indiquant, par exemple, le début du proverbe et en demandant de compléter la fin ; ils constituent ainsi d'excellents exercices.

Les bénéfices que la personne malade en retire sont majeurs. Maintenir la communication lui permet de ne pas se sentir mise à l'écart. Evoquer son histoire personnelle renforce la mémoire biographique et l'aide à se repérer à l'intérieur des événements récents de l'histoire familiale des jeunes générations (mariages, naissances des petits-enfants...) et les anniversaires qui scandent le calendrier affectif. Regarder des photographies de famille, préparer une carte de vœux sont des éléments concrets précieux.

Au fur et à mesure de l'évolution de la maladie, les capacités de compréhension et d'expression s'altèrent et la communication non verbale prend une place de plus en plus importante. L'entourage s'habitue progressivement à cette évolution et comprend souvent très bien ce que veut dire le malade. En cas d'absence, il est très important de faire part aux personnes remplaçantes des habitudes établies dans ce domaine. On a remarqué, par exemple, que certains malades parlent d'eux à la troisième personne ; l'interlocuteur, le sachant, peut faire préciser en posant la question correspondante (à la phrase : « Il a faim », il peut lui demander : « As-tu faim ? » ; si la réponse est négative ou si l'horaire paraît surprenant, il devra compléter par une autre question en rapport : « As-tu soif ? »). D'autres, pour signifier qu'ils ont faim, diront : « Il faut manger », ou bien seulement : « Il faut », en accompagnant leur phrase de gestes plus ou moins évocateurs.

Enfin, il ne faut jamais oublier que, même à une phase très avancée de la maladie, lorsque la communication verbale est profondément altérée par l'aphasie, nombre de malades gardent des possibilités de perception et compréhension qui doivent inciter l'entourage à ne jamais parler, en leur présence, comme s'ils étaient absents et à ne pas dire devant eux ce que l'on ne souhaite pas qu'ils sachent.

● *L'alimentation*

Les personnes qui souffrent de maladie d'Alzheimer présentent fréquemment, de manière transitoire ou prolongée, des troubles de l'appétit qui peuvent être d'origines diverses : troubles de mémoire avec oubli de l'heure des repas ; troubles somatiques (constipation, nausées ou douleurs abdominales) oubliés ou mal repérés, ou bien exprimés avec difficulté, et qui contribuent à perturber l'appétit ; troubles digestifs favorisés par la prise de nombreux médicaments lors du repas ; problèmes dentaires ; dépressions ou troubles anxieux. A un stade évolué, les troubles de la compréhension ou les difficultés à réaliser certains gestes précis (utilisation des couverts) entrent également en ligne de compte. Une bonne alimentation est capitale et justifie de demander l'avis d'un médecin au moindre doute, en particulier lorsque des perturbations apparaissent.

Le repas. Le repas doit être un moment privilégié, convivial, calme et non précipité. Si possible, il est bon de faire les courses, de préparer le repas et de mettre le couvert avec le malade. C'est une bonne occasion de le faire participer et de le stimuler, surtout s'il s'agit d'une activité qui lui était habituelle ou qu'il effectuait avec goût. L'élaboration des menus, la recherche de recettes, les courses, la confection du repas offrent toute une gamme d'activités possibles qu'il faut encourager. Bien évidemment, si cela n'a jamais constitué un centre d'intérêt, il ne saurait être question de l'imposer. Ce qui n'empêche pas de lui proposer de rester en compagnie de la personne qui prépare le repas. De même, il est préférable que le repas soit pris en présence d'une autre personne, laquelle peut servir de modèle sur qui « s'appuyer » (maniement des couverts, etc.).

Il faut essayer de conserver une certaine régularité dans les heures des repas. Quatre repas par jour (petit déjeuner, repas de midi, collation à seize heures ou dix-sept heures et dîner) pris à heures fixes sont une bonne base, car elle présente l'avantage de permettre au malade de manger un peu plus à un repas si le précédent n'a pas été consommé entièrement. Ici encore, il ne s'agit pas de l'imposer si cela est contraire à ses habitudes.

La composition des menus doit être équilibrée, avec un apport suffisant en boissons et en fibres alimentaires (légumes verts, etc.), afin d'éviter la constipation. Le régime ne s'impose pas, mais s'il a été prescrit en raison d'une pathologie coexistante (maladie cardio-vasculaire, hypercholestérolémie...), il doit être suivi, bien qu'il soit souvent difficile de faire accepter, surtout à un stade évolué, un régime alimentaire. A l'exception de ce cas particulier, le mieux est de respecter les habitudes antérieures en matière culinaire et de proposer les plats et assaisonnements appréciés. Lorsque la maladie évolue, les goûts se modifient de façon sensible dans le sens d'une grande appétence pour le sucré. Sauf avis médical contraire, le mieux est probablement de les respecter.

A un stade avancé, il devient parfois nécessaire d'aider le malade de façon très importante, voire de le faire manger. Ainsi est-il utile de prendre par avance une collation qui permet de ne pas se montrer impatient ou irritable. Présenter les plats un à un, ne pas mélanger tous les aliments, même si le malade se nourrit d'aliments mixés, préparer des mets qui ne nécessitent pas l'usage du couteau, s'efforcer de rendre la nourriture aussi attrayante que possible par quelques effets de présentation, faire en sorte qu'il mange par petites bouchées prises les unes après les autres et donner une consistance crémeuse aux aliments mixés, se révèlent des attentions très précieuses.

Certains malades, très instables, éprouvent le besoin de déambuler pendant le repas. Il vaut mieux le leur permettre, puis leur proposer, quelques minutes plus tard, de se rasseoir et profiter alors du temps disponible pour les faire manger avant qu'ils aient à nouveau besoin de déambuler un certain temps. Dans quelques situations extrêmes, il est parfois nécessaire de les suivre dans leurs déplacements, assiette et cuillère en main, et de les faire manger debout.

Si le malade refuse un aliment, il faut en rechercher la cause et y remédier. Le plat est-il trop chaud ou trop froid ? Pas assez ou trop salé ? En l'absence de cause évidente, mieux vaut passer au plat suivant. Le fait qu'un repas soit un peu escamoté n'est pas dramatique. Il sera toujours temps de proposer une collation plus tard dans la journée. Eviter le conflit est souhaitable, même s'il est parfois difficile d'admettre de se donner du mal pour essuyer un refus.

Autre difficulté possible : la prise de médicaments. Ici encore, il faut faire preuve de souplesse. Dissimuler les médicaments dans des aliments (gouttes dans la soupe) est rarement une bonne solution ; entre autres, parce que les médicaments altèrent le goût des aliments. On recherchera plutôt le moment opportun de la journée où la personne est dans sa forme optimale, disposée à prendre son traitement et à écouter les explications qui lui sont données à ce sujet.

● *L'hygiène et les soins*

L'hygiène des personnes qui souffrent de maladie d'Alzheimer se révèle une tâche délicate. Elle requiert un équilibre entre le respect de l'indépendance et de l'intimité, et le fait de devoir apporter une aide par rapport à des opérations complexes et de maintenir une hygiène suffisante pour ne pas favoriser des complications. La situation est bien sûr différente selon le niveau d'évolution de la maladie.

La toilette, stade débutant. S'il faut parfois rappeler que des soins d'hygiène sont nécessaires le soir avant le coucher ou le matin au lever, une vigilance discrète est souvent suffisante. Il faut bien sûr respecter les habitudes acquises dans ce domaine, notamment l'ordre du déroulement de la toilette (par exemple, permettre à un homme de se raser avant tout autre soin, si telle était son habitude). De même, il faut respecter le choix et l'emplacement des produits de toilette, ou, au besoin, les mettre en évidence, et supprimer, ou tout au moins ranger dans des endroits différents, les objets qui ne sont pas absolument indispensables ou dangereux.

Dans ce registre, il faut penser aux dangers que peuvent représenter certains appareils électriques (sèche-cheveux, etc.) et le fait de prendre un bain : et ce en vérifiant discrètement la température de l'eau et en restant à proximité, surtout lors de l'entrée et de la sortie de la baignoire. Des aménagements (barres d'appui) sont souvent utiles, et, plus encore, un réaménagement de la salle de bains (voir Les aménagements intérieurs, p. 106). Le malade s'adaptera plus facilement si les précautions et les aménagements réalisés sont mis en place tôt et progressivement.

La toilette, stade moyen. Plus la maladie évolue, plus il faut veiller à ce que le cadre quotidien soit stable, aussi bien dans les horaires que dans la disposition des objets nécessaires à la toilette et l'ordre chronologique dans lequel ils sont proposés. De plus en plus souvent, on sera amené à apporter une aide importante. La question de l'intimité se trouvera alors posée. On relève deux types de comportement : soit la personne préfère l'aide apportée par un proche, soit elle admet la présence d'une tierce personne, telle qu'un(e) aide-soignant(e). C'est bien sûr un élément majeur à prendre en compte. Mais il faut considérer que si le malade s'habitue à une présence pour cette activité, il y a toute probabilité que la personne qui apporte cette aide doive l'assurer pendant longtemps, dès lors qu'elle sera admise. On l'a mentionné à plusieurs reprises : c'est une charge lourde de temps et de fatigue, par exemple pour un conjoint qui rencontre lui-même des problèmes de santé. Néanmoins, le point d'équilibre est là : aider au maximum le malade et respecter le plus possible ses désirs, tout en ne s'épuisant pas.

Il s'agit d'une maladie chronique, aussi l'entourage ne pourra pas continuer à assumer son rôle sur le long terme s'il outrepasse ses forces dès le début. Dans ce contexte, faire accepter, assez tôt, l'aide d'un professionnel à certains moments ponctuels (un bain bi-hebdomadaire par exemple) est une façon de préparer l'avenir, lorsqu'un soutien plus important sera nécessaire.

Cependant, il peut arriver que l'on se heurte à un refus. Outre les questions de pudeur, d'autres motifs peuvent l'expliquer, notamment des problèmes de compréhension. Le temps, la patience et la mise en place d'un cadre favorable sont nécessaires afin de se donner le maximum de chances d'être compris. Notons que si l'on est parvenu à amener très progressivement la personne à accepter une aide, le temps de la toilette est souvent un moment privilégié pendant lequel la communication non verbale prend toute son importance et où se manifeste souvent la tendresse d'un conjoint ou la gentillesse d'un(e) aide-soignant(e). De plus, la toilette contribue largement à l'image que le malade a de lui-même et à celle qu'il offre à ses proches. Nous savons tous, en effet, que les contacts avec un malade dont l'hygiène laisse à désirer, qui est peu soigné, sont plus difficiles.

Les soins de la peau. Avec l'âge, les capacités de guérison de la peau après une lésion, de même que les fonctions de barrière protectrice qu'elle assure déclinent ou s'altèrent. La peau devient sèche, perd son élasticité, s'amincit ou s'épaissit. Dans tous les cas, elle est plus vulnérable. Une hygiène quotidienne, qui évitera les bains trop prolongés, est indispensable. Les plis cutanés (derrière les oreilles, sous les seins, les aisselles, les plis fessiers, les espaces entre les orteils) doivent être parfaitement séchés. Hydrater la peau à l'aide d'une crème prévient les démangeaisons et les sensations cutanées désagréables, surtout l'hiver. Si l'application d'une crème hydratante est souvent appréciée, il ne faut toutefois pas insister (sauf prescription médicale impérative) lorsqu'elle est refusée.

L'hygiène des pieds. La toilette est aussi l'occasion de veiller à certains soins particuliers. Les problèmes de pieds sont fréquents chez les gens âgés. Les petits traumatismes, répétés au cours de l'existence, les expliquent en grande partie. Mais une hygiène inadéquate et le port de chaussures mal adaptées en sont aussi la cause. Les déformations osseuses, dont l'adulte ne ressent aucun symptôme, deviennent avec l'âge rigides et douloureuses. La peau se déshydrate et s'amincit. Les ongles, plus épais et plus durs, ont tendance à s'incurver – même s'ils poussent plus lentement et ont donc moins besoin d'être coupés. La circulation sanguine au niveau des extrémités diminue, ce qui rend les pieds plus vulnérables. Enfin, les troubles visuels, les difficultés à se pencher ou la perte de dextérité manuelle, s'ajoutent aux troubles propres à la maladie d'Alzheimer, et limitent les soins que la personne peut apporter à ses pieds. Il convient donc de prévenir l'apparition de ces soucis en demandant des conseils au médecin sur les soins de peau, la façon de tailler les ongles et le choix des chaussures. Dans ce registre, on a remarqué que certaines personnes acceptent difficilement de renoncer à la forme sophistiquée de leurs chaussures, pour gagner en confort et en hygiène. Des changements progressifs demandent tact et diplomatie.

L'hygiène bucco-dentaire. Essentielle, elle conditionne l'esthétique du sourire, l'élocution, la mastication des aliments et la perception gustative. Une sécheresse de bouche ou une prothèse inadéquate entraînent des troubles de l'élocution ou une gêne pour s'alimenter. Il est donc très important d'inciter les malades à consulter régulièrement un dentiste, même s'il est parfois difficile, à un stade avancé, de pratiquer un examen ou des soins bucco-dentaires. Mieux vaut donc les anticiper dès le début quand la coopération est optimale, car l'hygiène bucco-dentaire est nécessaire aussi bien pour les dents naturelles que pour les prothèses.

Le soin des escarres. La survenue d'escarres est favorisée par l'exposition de certaines zones de la peau à l'humidité, par une limitation de l'activité physique et de la mobilité (surtout lorsque les malades sont confinés au lit ou dans un fauteuil), par une tendance à peu changer de position et par une alimentation perturbée. Il convient donc d'être particulièrement vigilant. Au début, s'installe une rougeur qui ne blanchit pas lorsqu'on applique une pression conduisant normalement à une décoloration, une modification de la chaleur ou à une induration de la peau. Les zones cutanées à risque sont : la nuque, le bas du dos et les fesses, les coudes et les talons. La constatation du moindre signe suspect impose très rapidement un avis médical afin d'éviter l'évolution vers une ulcération qui, superficielle au début, deviendra ensuite très profonde, envahissant les tissus environnants, les muscles, les os, les tendons ou les articulations, alors même qu'en surface la plaie paraît limitée. Dans les cas que nous venons de décrire (immobilité, inactivité, alimentation peu satisfaisante), les mesures de prévention à prendre sont les suivantes : une hydratation optimale (un litre et demi à deux litres d'eau par vingt-quatre heures en général) ; des soins cutanés (laver avec un savon doux et bien sécher la peau) ; une meilleure alimentation ; l'alternance des positions afin d'éviter de demeurer immobile pendant plus de deux heures et ainsi atténuer la pression au niveau des proéminences osseuses. Le médecin conseillera et prescrira des soins infirmiers – la meilleure façon de prévenir la survenue des escarres – ou des appareillages (coussins...).

Les troubles sphinctériens. En règle générale, ces troubles ne se présentent qu'à un stade tardif de la maladie. Mais lorsque s'installe une incontinence, souvent urinaire dans un premier temps, puis fécale, la vie s'en trouve bouleversée. Précisons que, tout d'abord, une perte ponctuelle d'urine ou de matières ne doit pas conduire systématiquement à conclure que l'incontinence est due à la maladie d'Alzheimer. Il existe de nombreuses causes à la perte de contrôle des sphincters (infection urinaire, effets secondaires de certains médicaments, constipation...) et bon nombre d'entre elles peuvent être traitées. Il faut donc rapidement consulter un médecin. Lorsque aucune cause extérieure à la maladie d'Alzheimer n'est retrouvée, il faut alors envisager les difficultés spécifiques que pose cette maladie.

Tout d'abord, il se peut que la personne malade ne soit plus capable de localiser l'endroit où se trouvent les toilettes. On peut alors l'aider en apposant un dessin ou un sigle sur la porte, l'accompagner si elle évoque le besoin de s'y rendre. Une grande vigilance et une certaine habitude sont alors requises pour décrypter les demandes, notamment si elle présente des troubles du langage. Ce sont parfois des petits signes (une recrudescence d'agitation ou un début de déshabillage) qui doivent y faire penser. Il est bien sûr très important de le signaler à l'éventuelle aide-soignante.

La seconde possibilité est que la personne se trouve « prise de vitesse », soit parce que les toilettes sont éloignées du lieu où elle se trouve, soit parce qu'elle est ralentie dans sa démarche ou rencontre des difficultés pour enlever ses vêtements. Il faut alors essayer, pour chaque cause, de trouver la solution adéquate.

A un stade très avancé de la maladie, il arrive que l'enchaînement des actions à réaliser pour soulager le besoin ressenti soit oublié. Il faut alors indiquer verbalement chaque étape, chacune devant être terminée avant de passer à la suivante. Là encore, pour toutes sortes de raisons, y compris de pudeur, il convient d'intervenir avec le maximum de tact et de discrétion.

Des aménagements techniques (barres d'appui de chaque côté des toilettes) ou le port de changes (à utiliser de manière progressive) soulageront la charge de travail de l'entourage.

L'attitude qui consiste à inciter de manière assez systématique la personne à se rendre aux toilettes régulièrement (au lever, après chaque repas, avant le coucher et toutes les deux heures environ dans la journée, en tenant compte des habitudes acquises) est une bonne manière de prévenir la survenue de ces « incidents ». Enfin, il ne faut pas oublier la peur qu'éprouve certaines personnes à rester seules dans les toilettes qui fait qu'elles retardent, pour cette raison, jusqu'à l'ultime limite, le moment de s'y rendre. Allumer, laisser la porte ouverte et rester dans le couloir, à distance raisonnable tout en leur parlant peut suffire à les rassurer, à moins qu'elles demandent qu'on reste auprès d'elles.

Le calme, la gentillesse, des attitudes qui rassurent et surtout dédramatisent ont toujours un effet positif, même s'ils n'effacent pas les difficultés, et apportent des améliorations à des problèmes qui se vivent souvent mal.

Dans tous les cas, ces difficultés alourdissent souvent la charge qui incombe à l'entourage. Répétons que ce dernier doit se ménager des temps de repos. Les difficultés rencontrées à propos de l'hygiène ne doivent pas constituer un obstacle insurmontable pour se faire remplacer auprès du malade un certain temps dans la journée. Proposer que le relais soit pris quelques heures par semaine, puis par jour, par une personne de confiance et correctement informée aide de manière salutaire aussi bien l'entourage que le malade.

● *Le soin des yeux*

Nous avons décrit antérieurement les troubles de la reconnaissance et notamment de la reconnaissance visuelle que présentent les personnes atteintes de maladie d'Alzheimer. Il ne faut pas pour autant imputer l'ensemble de ces ennuis à la maladie et négliger de faire pratiquer, le plus précocement possible et ensuite en fonction des besoins, un bilan ophtalmologique à l'issue duquel une intervention thérapeutique peut être proposée (chirurgie de la cataracte, etc.). La maladie d'Alzheimer ne constituant pas un motif *a priori* de refus de ce type d'intervention.

Les lunettes doivent être rangées dans un endroit accessible malgré les difficultés rencontrées, surtout à un stade évolué de la maladie, il n'est pas justifié de les mettre hors de portée « définitivement » de la personne malade, sous prétexte qu'elle va les égarer, ce qui reviendrait à la priver des bénéfices qu'elle peut en attendre. Mieux vaut donc l'aider à gérer leur utilisation (rangement, nettoyage, soin...).

● *Les appareils auditifs*

Les problèmes de surdité, fréquents à partir d'un certain âge, aggravent les difficultés liées à la maladie d'Alzheimer. Il vaut donc mieux effectuer un bilan en début d'évolution. Cette question sera évoquée avec le médecin traitant qui conseillera, si besoin, un spécialiste oto-rhino-laryngologiste. Si un appareil auditif est indiqué, mieux vaut que la personne en bénéficie le plus tôt possible. Il faudra ensuite vérifier régulièrement qu'il est utilisé correctement, bien réglé, afin qu'il ne devienne pas inutile, voire une source d'inconfort ou de nuisance.

Lorsqu'une personne présente un certain niveau de surdité, quelques règles simples facilitent les échanges : parler clairement et lentement, ne pas élever la voix, faire des phrases courtes, utiliser des gestes pour faciliter les explications, se placer devant elle et surtout s'installer dans un endroit tranquille, loin des sources de bruit qui perturbent la conversation (se placer à la périphérie d'un groupe plutôt qu'au milieu, éteindre la radio ou la télévision qui constituent un fond sonore...). Par ailleurs, il existe des appareils qui permettent d'augmenter de façon spécifique certains sons : amplificateur pour le téléphone, augmentation du volume des sonneries de la porte et du téléphone, écouteurs pour la télévision, etc.

● *L'habillage*

C'est une activité complexe, qui met en jeu des fonctions plus ou moins rapidement altérées. En effet, les troubles de mémoire, les difficultés à s'orienter dans le temps et à se rappeler les activités qui doivent être réalisées dans la journée ne permettent pas d'adapter le choix vestimentaire d'une manière fonctionnelle. Les troubles des réalisations gestuelles compliquent certaines phases de l'habillage, notamment l'utilisation des boutons, pressions, et fermetures Eclair, etc., malgré ces difficultés, il est capital de respecter, autant que possible, les habitudes vestimentaires. Rappelons qu'elles sont constitutives de l'identité, de l'image que l'on a de soi-même et de celle que l'on donne. Un changement sera perçu douloureusement par la personne malade et risquera d'accroître ses difficultés à se reconnaître dans un miroir, courantes à un stade tardif de la maladie.

Comme dans d'autres domaines, il convient d'aider, en évitant, si possible, de se substituer au malade. Les difficultés pour s'habiller étant modestes en début d'évolution, l'intervention de l'entourage doit se limiter au rôle de guide : rappeler par exemple les activités prévues pour la journée. Puis, lorsqu'apparaissent des difficultés à se repérer dans le temps, notamment par rapport à la saison, une manière assez simple de procéder est d'organiser une rotation des vêtements sur l'année ; on laisse dans l'armoire les seuls vêtements qui correspondent à la saison et on entrepose les autres dans une armoire inaccessible. De même, lorsque l'ordre dans lequel on enfile les vêtements n'est plus repéré, on les disposera dans l'ordre, en supervisant discrètement l'habillage, afin que deux pièces similaires ne soient pas superposées. Pour ce qui concerne les boutons, pressions ou fermetures Eclair, il n'existe pas d'autre solution que d'opter pour des vêtements du même style tenus par des élastiques ou de les modifier.

Enfin, une attention particulière sera portée aux chaussures. Il faut veiller à ce qu'elles offrent une stabilité suffisante, notamment grâce à des semelles antidérapantes, et qu'elles ne blessent pas les pieds, surtout s'ils sont déformés.

● *Le sommeil*

L'âge entraîne des modifications physiologiques du sommeil importantes. La principale d'entre elles affecte la continuité du sommeil par l'apparition progressive non seulement d'éveils complets au cours de la nuit, mais aussi d'une quantité plus importante de petits éveils transitoires. Pour de nombreuses personnes, ces modifications sont minimes car elles sont compensées par une sieste au cours de la journée. Pour d'autres, elles sont plus perturbantes et conduisent à d'authentiques insomnies qui se manifestent : soit par des difficultés d'endormissement, soit par un maintien difficile du sommeil après un endormissement facile, soit par des réveils précoces le matin. Dans ce dernier cas, il ne faut toutefois pas considérer comme une insomnie ce qui est une heure de réveil logique si l'endormissement a été précoce.

Des facteurs externes, en particulier environnementaux, peuvent être à l'origine des troubles du sommeil. Citons les variations d'intensité sonore ou lumineuse, les changements de température, la circulation automobile, un voisinage ou des animaux domestiques bruyants : autant de stimulations extérieures dont la personne concernée n'aura pas conscience. Phénomène encore aggravé par les troubles de mémoire.

D'autres facteurs, internes, sont également en cause. Et, en premier lieu, tout événement stressant (maladie d'un proche, deuil, etc.), puis viennent les problèmes médicaux, tels que les maladies cardio-vasculaires, les maladies respiratoires, les troubles gastro-intestinaux, les douleurs chroniques ou répétées et, bien sûr, l'anxiété et la dépression. Notons également que la consommation prolongée de certains médicaments, y compris les somnifères, et celle de boissons alcoolisées ou riches en stimulants (caféine présente dans le café mais aussi dans certains chocolats et boissons gazeuses) occupent une place prépondérante. Enfin, certains modes de vie ou de comportements contribuent à entretenir les difficultés de sommeil : la perte d'autonomie et la baisse d'activité, des horaires irréguliers, un temps excessif passé au lit pour des activités autres que le sommeil (manger, regarder la télévision...). La somnolence et les siestes dans la journée, si elles peuvent fort bien s'expliquer par la mauvaise nuit précédente, entretiennent les troubles du sommeil.

Dans tous les cas, une bonne hygiène de sommeil est importante. Aussi faut-il éviter les activités stimulantes en soirée, consommer de l'alcool ou fumer dans les heures qui précèdent le coucher, prendre de la caféine après 16 heures (attention ! de nombreuses boissons, aliments et médicaments en contiennent). En revanche, il est vivement conseillé de se lever à heure régulière chaque matin ; de limiter la sieste à moins d'une heure (de préférence en début d'après-midi) ; de se coucher seulement lorsque l'on a sommeil ; de restreindre la prise de boissons en fin de journée pour ne pas être réveillé la nuit par le besoin d'uriner ; de faire en sorte que la chambre à coucher favorise le sommeil (température correcte, literie confortable, lumière et bruit modérés) ; et de faire de l'exercice régulièrement.

Lors de réveils nocturnes, la personne atteinte de maladie d'Alzheimer est souvent désorientée, déroutée, confuse et agitée pendant quelques minutes. Il faut essayer de la rassurer en allumant une lumière douce et en lui parlant ; puis, si elle s'est levée, l'inciter et l'aider à se recoucher. Par ailleurs, du fait de troubles du sommeil majeurs et récidivants, les conjoints sont parfois exténués. Dormir dans une chambre à part est tout à fait légitime. Il faut alors en expliquer la raison, insister sur le fait qu'il ne s'agit pas d'un abandon. Des formules d'aide à domicile peuvent également être envisagées pour passer le cap d'une période difficile.

Lorsqu'un trouble du sommeil apparaît, il faut en rechercher la cause et essayer d'y remédier. Nous venons d'évoquer diverses possibilités, parmi celles rencontrées habituellement. Si ce trouble persiste au-delà de quelque jours, il convient de demander l'avis du médecin qui, après avoir procédé à un bilan, proposera des solutions y compris, dans certains cas, la prescription de médicaments destinés à restaurer un sommeil correct.

● *La consommation de tabac*

En raison des risques d'incendie notamment, la personne atteinte de maladie d'Alzheimer ne doit pas fumer seule. Le mieux est probablement de ranger cigarettes, allumettes et briquet en lieu sûr et de lui remettre une cigarette lorsqu'elle le demande, tout en restant présent. Dans quelques cas, il est possible de la convaincre progressivement de s'arrêter de fumer. Mais c'est souvent un problème difficile à résoudre.

● *Les occupations*

Nous avons souligné à de nombreuses reprises combien les manifestations cliniques et l'évolution varient d'une personne à l'autre, ce qui influence notablement la vitalité. Conserver un certain niveau d'activité est bénéfique, car on a observé qu'à un stade avancé de la maladie l'absence d'occupation favorise les troubles du comportement et l'agitation. Dans un même mouvement, pendant que le malade vaque à ses occupations, la tâche de l'entourage est provisoirement allégée.

Occuper et distraire. Les occupations envisagées ici ont pour but d'occuper ou de distraire. Elles sont l'occasion d'entretenir et de stimuler les capacités, mais il ne s'agit pas de chercher systématiquement à les transformer en « exercices » visant à stimuler les compétences, comme cela peut se pratiquer lors de prises en charge plus spécialisées, ni de donner des lignes directrices. Nous esquisserons ici quelques principes de portée générale. Le premier est que les occupations doivent être en accord avec les goûts et les habitudes antérieurs au diagnostic. En fait, cela se réalise assez spontanément dans les premières années, lorsque les troubles sont limités. Le plus souvent, les quelques aménagements nécessaires se mettent en place sans trop de difficulté, à l'exception du fait de ne plus pouvoir conduire. Plus tard, lorsque la personne malade perdra la capacité d'initier et de mener à bien, seule, ses loisirs et occupations, l'une des meilleures façons de procéder consistera à l'encourager à poursuivre ses activités antérieures, mais en les simplifiant, de sorte qu'elles soient adaptées à son nouvel état, en évitant les situations d'échec. Cependant, cela ne signifie pas pour autant qu'il faille opter pour des activités très inférieures à son niveau afin d'être sûr qu'elle ait la satisfaction de réussir ; une telle démarche risquerait de l'infantiliser, ce qu'il faut éviter. Il peut être utile d'établir une liste des activités et des centres d'intérêt, comportant en regard les capacités requises.

Le second principe, évoqué à plusieurs reprises, est d'aider le malade sans pour autant agir à sa place. Lorsque l'aide à apporter sera trop importante, on favorisera des activités plus simples, plus répétitives, comportant peu d'étapes successives et ne nécessitant pas l'apprentissage de nouvelles techniques, mais fondées sur les acquis antérieurs.

Le troisième principe est le respect des goûts. Ce critère n'est pas aussi simple qu'il apparaît à première vue. Ainsi, ce qui nous semble rébarbatif, parce que trop simple, trop « mécanique », ou lassant parce que trop répétitif, ne l'est pas forcément pour une personne atteinte de maladie d'Alzheimer qui ne se souvient pas avoir effectué cette même activité dans les jours, les heures ou même les minutes qui précèdent. Par exemple, certaines femmes plient des torchons pendant de très

longs moments sans aucune lassitude : tant qu'une telle activité semble convenir, le plus opportun est très probablement
de fournir les moyens de la poursuivre aussi longtemps qu'elle
est souhaitée.

La cuisine. Lorsque les activités appréciées inclinent vers
des occupations domestiques, telle la cuisine, elles permettent
de continuer à participer à la vie du foyer et sont gratifiantes
car elles procurent, de manière rapide, la satisfaction d'un résultat. D'autre part, elles sont source de stimulation sensorielle,
participent au repérage dans le temps, sont l'occasion d'évoquer des souvenirs... Tout une gamme de capacités sont mises
en œuvre depuis l'élaboration du menu en passant par la
confection des plats, le fait de mettre le couvert (en proposant
les différents éléments, catégorie par catégorie : d'abord les
assiettes, puis les verres, etc., si le malade éprouve des difficultés à effectuer cette tâche), jusqu'au fait d'essuyer la vaisselle.

Le jardinage. Le jardinage présente de nombreux points
positifs, parmi lesquels ceux de permettre l'exercice physique,
d'offrir des stimulations sensorielles et d'aider à se repérer dans
le temps. Il implique néanmoins des adaptations par rapport
aux outils de jardinage et aux produits potentiellement dangereux, et la surveillance par une tierce personne.

Le sport. Equilibrer les occupations intellectuelles et physiques apparaît raisonnable. Lorsqu'il est possible, un certain
niveau d'activité physique est bénéfique car, d'une part, il aide
au bon déroulement des fonctions physiologiques (lutte contre
la constipation, etc.), et, d'autre part, il est source de satisfaction. On voit ainsi des malades qui, malgré des troubles assez
évolués, continuent à pratiquer un sport de manière à peu près
satisfaisante, ce qui leur offre notamment l'avantage de rester
intégrés dans la vie sociale. De plus, il est assez souvent l'occasion de partager des souvenirs. Lorsque la pratique du sport

n'est plus possible, la marche, sauf difficultés particulières la contre-indiquant, est une bonne solution. A la fois activité physique et occasion d'échange avec la personne accompagnante.

La lecture et les jeux. D'autres activités, telles que la lecture et les jeux, peuvent être poursuivies. Pour la lecture, on choisira des ouvrages adaptés : lisibilité des caractères, illustrations, thèmes se rapportant à des lieux ou des événements connus. Quant aux jeux (carte, bridge, Scrabble, etc.), ils sont plus un élément de détente. On a remarqué que des malades conservent pendant très longtemps certaines habiletés, alors même que la maladie a profondément altéré leurs capacités dans d'autres domaines. Il est bien sûr nécessaire d'adapter les pratiques à l'évolution de la maladie avec le plus de tact possible : par exemple, constituer des « équipes » pour que le malade ne se trouve pas trop défavorisé et puisse, comme les autres participants, gagner à son tour. D'autre part, il faut être attentif aux manifestations de fatigue ou d'ennui. On proposera alors de changer de registre d'activités. Ecouter un disque, feuilleter un album de photographies familiales peuvent être des alternatives.

Enfin, certaines personnes, lorsque la maladie évolue, ont tendance à refuser toute activité ou à opter pour une certaine passivité en restant dans un fauteuil, tout en regardant par la fenêtre ou en fixant la télévision. C'est la connaissance de la personne et l'intuition alliées à la souplesse et à la tolérance qui permettront de trouver la meilleure solution.

● *L'aménagement de l'environnement*

Aménager l'environnement d'une personne qui souffre de troubles de mémoire est particulièrement important. Pourquoi ? La vie quotidienne en sera facilitée et les incidents (ou accidents) domestiques évités (brûlures...). C'est une opération à envisager au cas par cas. Toutefois, un certain nombre de principes s'appliquent à la plupart des situations.

Tout d'abord, il convient d'effectuer ces aménagements de manière progressive, car, nous l'avons déjà noté, des changements trop brutaux risquent d'accroître les difficultés d'orientation et de repérage. De plus, un délai de réflexion est nécessaire pour déterminer les aménagements les plus opportuns et la manière de les réaliser. Les avis ou conseils de personnes ayant une expérience ou des compétences professionnelles sont une aide certaine. A cet égard, on peut s'adresser à des associations ou des services hospitaliers. Nombre de ces structures emploient notamment des ergothérapeutes, personnels soignants dont la fonction est de valoriser le potentiel d'autonomie et de développer les facultés d'adaptation et de compensation des malades. De même, des équipes de secteur psychiatrique ou psychogériatrique (elles interviennent gratuitement, il faut pour cela s'adresser au centre hospitalier ou au dispensaire dont on dépend) et le médecin traitant seront de bon conseil.

Ensuite, les aménagements seront expliqués au malade, son consentement et sa participation active recherchés autant que possible. Visant à améliorer son quotidien, ils peuvent être l'occasion de favoriser ses initiatives et donc de travailler dans le sens du maintien de son autonomie. Il faut essayer de les transformer en moments privilégiés où ses facultés sont sollicitées.

Enfin, ils respecteront les différentes phases d'évolution de la maladie, dont nous avons vu qu'elles sont éminemment variables. Ce peut être la pire des solutions que d'anticiper sur des déficits à venir, et d'aménager l'environnement d'une personne souffrant de troubles modérés de la même manière que lorsque les troubles seront plus sévères. Mais il ne faut pas non plus attendre la dernière extrémité pour effectuer des aménagements qui, il faut en avoir conscience, seront pratiquement inévitables, sauf à courir des risques importants.

Sécuriser l'habitation impose de limiter l'accès à certains objets potentiellement dangereux, mais toujours en veillant à ne pas dépersonnaliser l'environnement. Dans tous les cas, il faut essayer de garder au quotidien un aspect chaleureux. Ainsi, par exemple, il est sûrement plus agréable et plus efficace de signaler les différentes pièces de l'habitation en fixant sur chaque porte un dessin évoquant sa fonction que de mettre un écriteau indiquant le nom de la pièce.

Nous envisagerons d'abord l'espace intérieur, la vie personnelle et intime.

L'espace intime. Les affaires personnelles du malade qui évoquent des souvenirs doivent être particulièrement respectés, car ils contribuent à maintenir son identité et à rester en contact avec la réalité. Souvent fortement investis au plan affectif, ils établissent des repères majeurs qui doivent rester toujours à la même place.

Il est également important que le conjoint ou l'entourage se préserve un espace personnel, lieu de repos mais aussi de rangement des objets ou des documents importants (clés, argent, papiers officiels, etc.) ; en effet, en raison de leurs troubles de mémoire, les personnes atteintes de maladie d'Alzheimer ont tendance à disperser les objets dans toutes les pièces, puis à oublier où elles les ont laissés. Certaines vont même les accumuler, les cacher, sans parvenir à se souvenir de l'endroit, dans des lieux parfois incongrus. Aussi les objets indispensables au quotidien (portefeuille, sac à main, etc.) doivent-ils être rangés en lieu sûr. Bien entendu, il ne faut pas tomber dans l'excès inverse et tout mettre hors de portée du malade, car il se sentirait alors dépossédé. Il ne s'agit pas d'anticiper à l'excès lorsque les troubles de mémoire sont légers, mais de s'adapter au rythme évolutif de la maladie et d'adopter au fur et à mesure les solutions adéquates. Par ailleurs, il faut prendre le temps d'observer le comportement de la personne. Même si une cachette paraît incongrue, il est préférable de la visiter régulièrement, d'autant qu'elle est privilégiée souvent pendant un certain temps. Dans la plupart des cas, mieux vaut laisser la personne accumuler un certain nombre d'objets dans cette même cachette, quitte à récupérer ceux qui sont tout à fait indispensables (chéquier, clés, etc.), plutôt que de s'opposer systématiquement à ses conduites.

● Les aménagements intérieurs

Dans ce chapitre, nous nous proposons de suggérer des aménagements relatifs à la maison et à la vie quotidienne, qui seront adaptés en fonction de chaque situation.

L'éclairage. Les sources d'éclairage doivent être suffisamment intenses, stables, faciles à allumer. Les interrupteurs fluorescents sont plus facilement repérables, encore faut-il qu'ils ne soient pas masqués par un meuble ou autre objet. Des veilleuses, allumées le soir, et qui le resteront durant la nuit, notamment dans les couloirs, la salle de bains, les toilettes, le chevet du lit, sont une aide sensible et évitent bien souvent des « incidents », trop vite assimilés à une incontinence alors qu'il s'agit, avant tout, d'une difficulté à se repérer dans l'obscurité pour gagner les sanitaires.

Les sols et les revêtements. Afin de limiter les risques de chute, il convient de supprimer les descentes de lit, tapis, etc., ainsi que les sols glissants. Des repères colorés, tels que des bandes de couleurs vives, peuvent être placés sur le sol pour signaler les changements de niveau d'une pièce à l'autre ou le seuil d'un escalier.

Les escaliers. Les troubles de la coordination des mouvements, associés à d'autres pathologies fréquentes chez les personnes âgées (troubles visuels, etc.), favorisent les chutes. Les escaliers sont responsables d'un tiers des chutes accidentelles.

Le plus souvent, la personne âgée manque les dernières marches, alors qu'elle croit, à tort, être au bas de l'escalier. Il est important d'installer des rampes, qui se prolongent après la première et la dernière marche des deux côtés de l'escalier, ainsi qu'un bon éclairage, de proscrire tout revêtement de sol glissant et de dégager les escaliers de tout ce qui peut entraîner une chute (plante en pot...). Les marches peuvent être signalées par des marquages au sol. Lorsque les troubles deviennent importants, il est parfois nécessaire d'installer un portillon pour bloquer l'accès de l'escalier. Le matériel proposé pour la sécurité des jeunes enfants peut être utilisé. Enfin, lorsque l'on accompagne une personne dans l'escalier, il faut passer devant à la descente, et derrière lors de la montée.

Les couloirs. Les mêmes principes sont de mise : un bon éclairage et des lieux de passage bien dégagés. Des barres d'appui qui serviront de guides seront fixées au mur.

La cuisine. Elle constitue une zone dont les dangers potentiels sont importants. Et tout particulièrement ceux générés par le gaz. Les installations au gaz sont, dans la mesure du possible, à éviter. Lorsqu'elles existent, il faut sécuriser l'arrivée du gaz et les différents appareils. Ainsi peut-on prévoir une limitation d'amplitude d'arrivée de gaz pour les brûleurs des cuisinières. Ne pas oublier, bien sûr, de fermer l'arrivée de gaz après chaque utilisation. Les dispositifs type chauffe-eau sont à proscrire. Il faut également savoir que les fours sont une des causes les plus importantes de brûlures et d'incendies lorsqu'ils sont mal utilisés. Les allumettes, briquets, etc., doivent être rangés en lieu sûr. De même, l'ensemble des objets dangereux (couteaux, etc.) sera disposé de façon à en limiter l'accès. Il faut, bien entendu, que tous les produits toxiques (débouche évier, etc.) soient rangés dans un lieu approprié, fermé à clé. Certaines familles signalent les confusions survenues avec les aliments pour animaux. Les mettre ailleurs que dans la cuisine prévient ce risque. Comme nous l'avons vu, il est souhaitable d'adopter des équipements qui ne diffèrent pas trop de ceux auxquels la personne était habituée. A cet égard, nous remarquons que les équipements très « modernes » ne sont pas forcément les plus faciles à manier. La seconde source de danger est occasionnée par l'électricité.

L'électricité. Les prises électriques doivent être munies de caches et les appareils, le fer à repasser par exemple, convenablement rangés. Ce qui ne veut pas dire qu'il faille rigoureusement interdire leur utilisation. Celle-ci doit être effectuée sous certaines conditions, d'une part en compagnie d'une personne susceptible de veiller à la sécurité et, d'autre part, en adaptant le matériel. Ainsi le repassage peut-il être facilité par l'usage d'un fer sans fil dont la température diminue rapidement dès qu'il n'est plus posé sur le socle sur lequel il se recharge.

La salle de bains. Les médicaments y sont souvent stockés. Il faut les mettre en lieu sûr, hors de portée du malade si le stade d'évolution de sa maladie ne le rend plus capable d'en apprécier les risques en cas de mésusage. Il en va de même des produits toxiques.

Afin de prévenir les chutes, il est souvent utile d'équiper le sol de la douche de tapis antidérapants. Les baignoires peuvent également être équipées de tapis ou de siège. Ils seront de préférence d'une couleur qui se confond avec celle de la baignoire ou de la douche pour éviter toute perturbation. Des barres d'appui sont également à prévoir dans la salle de bains et dans les toilettes. L'utilisation des tapis de bains antidérapants sera limitée au seul moment de la sortie de la douche ou de la baignoire et ils seront rangés aussitôt après. Pour ce qui concerne l'aménagement des produits de toilette, on se reportera au chapitre relatif à la toilette.

Souvent, le principal danger est celui d'inondations provoquées par un robinet resté ouvert. Pour pallier ce risque, il est possible d'installer des robinets qui se ferment automatiquement ou d'enlever les bouchons de lavabos, baignoires, etc. entre chaque utilisation. Dans tous les cas, il vaut mieux que les robinets soient simples. On peut aider le malade à se repérer à l'aide de dessins.

La chambre. Il convient d'aménager cette pièce suivant les principes que nous venons de préciser : supprimer tapis, descentes de lit et objets qui risquent de favoriser les chutes ; prévoir, au niveau du chevet, un éclairage facile à atteindre et à allumer, notamment pour faciliter les déplacements nocturnes. Le pied de la lampe de chevet doit être stable pour qu'elle ne se renverse pas trop facilement.

On peut proposer, pour les armoires à vêtements, les mêmes solutions que pour les placards : appliquer sur les portes des logos ou dessins représentant le contenu des armoires. Les vêtements seront rangés toujours à la même place. Par ailleurs, il peut être utile d'installer une glace qui permettra au malade de se voir en pied lorsqu'il s'habille.

Le salon ou la salle de séjour. Outre les aménagements que nous avons déjà décrits en termes de sécurité, cette pièce peut être celle où sera prévu un endroit confortable, réunissant souvenirs et objets de distractions.

● *Les aménagements extérieurs*

L'espace autour de la maison doit être aménagé, surtout si le malade y accède plus ou moins librement. Dans le cas d'une maison individuelle, disposant d'un jardin, il importe de bien dégager et d'aménager les abords afin d'éviter les chutes (attention aux paillassons sur le seuil). Les ouvertures sur la rue (portail, etc.) doivent pouvoir être fermées, sans risque d'ouverture intempestive. Il faut veiller à ne pas laisser traîner les outils de jardinage, les produits toxiques, ou d'autres potentiellement dangereux et prendre garde à la toxicité de certaines plantes.

Les portes. Les portes donnant sur l'extérieur de l'appartement, de la maison ou du jardin doivent être en bon état. Il faut non seulement pouvoir les fermer à clé, mais aussi éviter qu'elles soient facilement manipulées (risque de fugue), tout en permettant l'accès direct des secours en cas d'urgence. A l'intérieur, mieux vaut, sauf cas particulier, supprimer serrures et verrous ou faire en sorte de toujours pouvoir les ouvrir de l'extérieur, afin que le malade ne s'enferme pas dans une pièce de façon malencontreuse.

Les fenêtres. Il faut en vérifier les fermetures, surtout si le logement est en étages. Pour éviter tout risque d'accident, notamment du fait d'une confusion entre une porte et une fenêtre, il existe des systèmes de protection qui limitent leur ouverture, entre autres ceux proposés pour la sécurité des jeunes enfants. Les portes-fenêtres ou les baies vitrées qui s'ouvrent sur une terrasse ou un balcon sont également des zones à risque.

● *Les aménagements en vue du risque de déambulation et de fugue*

Malgré toutes les précautions, il n'est pas toujours possible d'éviter les fugues. Il faut faire en sorte que le malade ait toujours sur lui un moyen d'identification (bracelet, plaque d'identité, etc.). Il existe des systèmes antifugue assez élaborés – montre ou badge – qui sonnent quand le seuil de la porte est dépassé ; mais leur efficacité est aléatoire car bien souvent il les enlève. De plus, leur coût est assez élevé. Selon le quartier ou la localité de résidence, il est parfois possible de prévenir le voisinage immédiat. Nombreux sont les malades désorientés qui sont ramenés à leur domicile par des voisins prévenants, des commerçants du quartier : attitude bienveillante plus facile à adopter dans une petite commune que dans une grande ville. On peut également prévenir la gendarmerie la plus proche du domicile. Enfin, il est important de disposer de photos d'identité récentes, offrant une bonne ressemblance avec l'aspect actuel.

● *Les aménagements divers*

Le téléphone. Certains malades sont tout à fait capables de se servir de postes téléphoniques munis de mémoires directes et d'un tableau de numéros enregistrés, d'autant que des photos des personnes correspondantes peuvent être mises en place pour faciliter le repérage. Toutefois, cet aménagement trouve ses limites à une phase évoluée de la maladie.

Les secours. Deux éléments sont indispensables : les numéros de téléphone d'urgence (SAMU, pompiers, gendarmerie, centre antipoison, médecin, ambulance) et une trousse de pharmacie pour les premiers soins facilement accessible.

Les médicaments. Les médicaments doivent être rangés dans un endroit sûr. Ce qui ne veut pas dire qu'il faille totalement déposséder le malade de la prise en charge de ses traitements. Le stimuler, pour qu'il en gère lui-même la prise, est l'une des façons de préserver son autonomie. Des objets simples tels qu'un pilulier permettant de préparer, pour une journée, les différentes prises sont un compromis souvent efficace.

Le matériel médical. Lit médical ou lit clinique, matelas ou coussin anti-escarre, fauteuil percé, etc., peuvent être une aide substantielle. Nombre d'entre eux font l'objet d'un remboursement par la Sécurité sociale. La lettre de demande doit être accompagnée de la prescription du médecin, de la feuille de maladie, du devis de location ou d'achat.

● *La conduite automobile*

Le problème de la conduite automobile ou plus exactement de son arrêt se pose fréquemment dans le cadre de la maladie d'Alzheimer. En effet, une proportion importante de personnes conduisent plusieurs mois, voire années, après le diagnostic. En l'absence de contrôle extérieur, émanant principalement de la famille, nombreux sont celles qui continuent jusqu'à ce que la survenue d'un accident les en dissuade. En fait, l'absence d'autocritique, le fait que nombre d'entre elles présentent une anosognosie, c'est-à-dire qu'elles ne sont pas capables de reconnaître leurs troubles et leur importance, explique pour partie le problème. Des études, menées aux Etats-Unis et au Canada, font apparaître que le taux d'accidents par kilomètre parcouru est plus important parmi les conducteurs âgés que parmi ceux d'âge moyen et dépasse même celui des jeunes conducteurs. Ces accidents sont particulièrement liés au déficit d'attention, aux problèmes visuo-perceptuels et cognitifs. Certes, d'autres maladies et déficiences retentissent sur la capacité de conduire : les troubles de la vision, les troubles auditifs, les vertiges, les maladies cardio-vasculaires, le diabète, etc. Ajouter aux troubles inhérents à la maladie d'Alzheimer, elles accroissent le risque d'accident.

Dans la très grande majorité des cas, la maladie d'Alzheimer est incompatible avec la conduite automobile ; toute personne pour laquelle est envisagé ce diagnostic devrait donc cesser de conduire jusqu'à ce qu'une évaluation spécialisée ait été pratiquée. Dans les faits, il revient à la famille ou à l'entourage la charge de persuader ou d'imposer l'arrêt de la conduite. En effet, en France, il n'existe pas de contrôle systématique de l'état de santé du conducteur. La commission du permis de conduire, qui examine les chauffeurs de poids lourd, de transport en commun, les contrevenants, etc., peut aussi examiner les personnes âgées de plus de 65 ans. Mais cela n'a rien d'obligatoire et, à l'heure actuelle, c'est au conducteur de déclarer une maladie ou un déficit fonctionnel.

Le dépistage des conducteurs à risque est organisé de manière différente selon les pays. Aux Etats-Unis, certains Etats requièrent une évaluation routière chez les personnes de 75 ans et plus. Au Québec, le médecin a la possibilité, mais pas l'obligation, de déclarer les personnes dont l'état de santé ou le comportement peuvent constituer un risque pour la sécurité routière ; cette déclaration est obligatoire dans certains Etats américains ou d'autres provinces canadiennes. En France, le rôle du médecin se limite à prévenir qu'une telle maladie n'est pas compatible avec la conduite automobile.

Il est souvent difficile de faire accepter à une personne qui souffre de maladie d'Alzheimer de ne plus conduire. Bien entendu, le médecin lui expliquera les raisons pour lesquelles elle doit cesser de conduire. Mais les troubles de mémoire, leur non-perception ou leur perception très relative font qu'une telle explication est rarement suffisante. Certaines familles prennent des options radicales consistant à cacher la voiture ou les clés, à changer celles-ci ou à rendre la voiture inutilisable, en débranchant la batterie par exemple. Des méthodes faisant appel à la persuasion peuvent, dans bon nombre de cas, se montrer suffisamment efficaces pour ne pas devoir recourir aux précédentes. Tout d'abord proposer d'être aider par un membre de la famille, envisager des alternatives pour les déplacements ; évoquer, en profitant des moments qui paraissent les plus opportuns, le risque pour autrui et les conséquences à la fois humaines et juridiques, tout en ayant suffisamment de tact pour ne pas déprécier la personne malade, le rappel répété de ses difficultés risquant d'être psychologiquement très néfaste.

La vie quotidienne avec un proche souffrant de maladie d'Alzheimer est progressivement bouleversée. Quel que soit le stade de la maladie, il faut faire preuve de beaucoup de patience, valoriser, stimuler, inciter la personne malade à s'appuyer sur les capacités dont elle dispose encore, et se mettre en concordance avec son niveau de compétence.

L'altération des facultés de communication est une cause de difficultés de la vie quotidienne. Tout en étant attentif aux facteurs qui les aggravent (nuisances sonores, altération de l'acuité auditive, etc.), l'entourage peut adopter un certain nombre de principes de base qui aideront la personne à s'exprimer et permettront de se faire mieux comprendre. En tout état de cause, même à une phase très avancée de la maladie, lorsque la communication verbale est profondément altérée, nombre de malades gardent des possibilités de compréhension et de communication non verbales qu'il faut alors privilégier.

De la même façon, les aspects pratiques de la vie quotidienne seront envisagés en fonction des différents stades d'évolution de la maladie : alimentation, hygiène et soins, vue, audition, habillage, sommeil, occupations, aménagement de l'environnement, conduite automobile.

Il est souhaitable que la personne malade continue à pratiquer des activités qui seront équilibrées entre intellectuelles et physiques, actives ou plus passives : son intégration familiale et sociale en sera facilitée.

Dans tous les cas, il est important de dialoguer avec le malade pour obtenir son consentement et sa participation, de l'aider à agir sans se substituer à lui, aussi longtemps que possible. Cela nécessite de prendre son temps, de faire preuve de tact et de souplesse, de respecter les habitudes antérieures au diagnostic, d'être en harmonie avec les goûts et les capacités, d'aider la personne à conserver et à donner une bonne image d'elle-même.

La stabilité et la régularité du mode de vie sont primordiales. Lorsque des aménagements s'avèrent nécessaires, il faut essayer de les introduire de manière progressive tout en s'efforçant de structurer et d'adapter l'environnement, à la fois pour aider et protéger la personne, mais aussi pour faciliter la tâche de son entourage. Celui-ci doit en effet se réserver un espace et un temps personnels, ne pas outrepasser ses forces dès le début de la maladie s'il veut accompagner au mieux le malade sur une longue durée.

Enfin, il ne faut pas hésiter à faire appel au médecin et à l'ensemble des professionnels compétents, non seulement lorsqu'apparaissent des modifications qui constituent une rupture par rapport au fonctionnement antérieur, mais aussi pour des questions pratiques de vie quotidienne.

Guide des prises
en charge

Aides au maintien à domicile

L'augmentation du nombre de personnes âgées (4 millions de plus de 75 ans et 1 million au-delà de 85 ans recensées en 1990) conduit à un développement des services et institutions médico-sociaux. Il s'effectue dans deux directions : d'une part, l'aide au maintien à domicile et, d'autre part, l'hébergement, avec les institutions pour personnes âgées. La grande majorité des personnes souffrant de la maladie d'Alzheimer ayant plus de 65 ans, peuvent en bénéficier, à moins que leur état ne nécessite des structures de soins ou d'hébergement plus spécifiques.

Il existe plusieurs possibilités parmi lesquelles deux connaissent un développement important : les services d'aides-ménagères et les services de soins à domicile.

Parallèlement, et en complément des aides apportées à domicile, existent des modalités de prise en charge à temps partiel. Articulées avec les mesures précédentes, elles offrent souvent une aide efficace. Il peut s'agir de prises en charge en hôpital de jour ou de nuit, en centre d'accueil thérapeutique à temps partiel, en centres d'accueil de jour ou d'accueil temporaire. Nous les envisagerons dans un second temps.

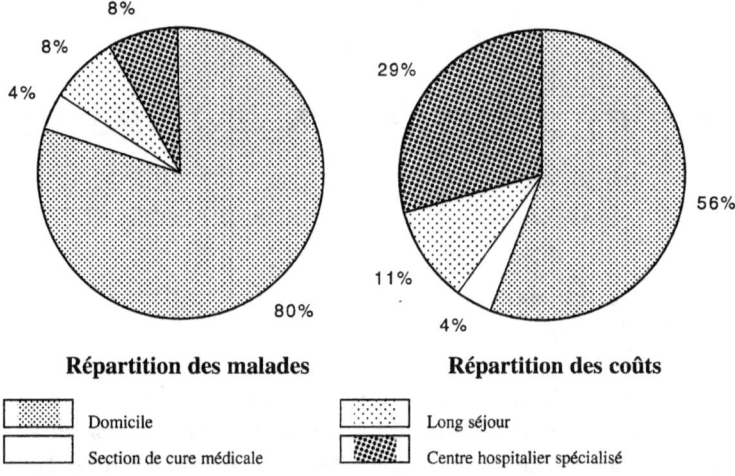

Répartition des malades   **Répartition des coûts**

	Domicile			Long séjour
	Section de cure médicale			Centre hospitalier spécialisé

Tableau 9 : Etude comparative du type de prise en charge et des coûts pour des malades souffrant de maladie d'Alzheimer.

D'après le Rapport CEMKA, Enquête Paquid, 1992, cité *in La Maladie d'Alzheimer*, Parke-Davis, 1994.

Ce schéma permet de comparer la répartition des patients souffrant de maladie d'Alzheimer en fonction du type de prise en charge et leur coût respectif. 80 % sont à leur domicile et représentent 56 % des dépenses. 20 % ressortent à une prise en charge institutionnelle et représentent 44 % des dépenses.

● *Les aides-ménagères*

Il s'agit d'un service destiné à des personnes âgées dont les ressources sont modestes et qui ont besoin d'une aide matérielle pour rester à leur domicile, aide sans laquelle la seule autre solution envisageable serait un placement dans une institution.

C'est une aide à la fois morale et matérielle. La venue régulière, à des moments prévus à l'avance, de l'aide-ménagère est un moyen de lutter contre la solitude et l'isolement, d'offrir une sécurité et une ouverture sur l'extérieur.

Conditions. Il faut être âgé de plus de 65 ans (ou 60 ans si l'inaptitude au travail a été reconnue), vivre seul ou en couple avec un conjoint dont l'âge est supérieur à 65 ans, ou avec quelqu'un qui n'est pas susceptible d'apporter de l'aide comme une personne elle-même handicapée. La reconnaissance de la nécessité d'une aide-ménagère repose sur un certificat médical, justifiant le besoin et précisant le nombre d'heures souhaitées, ainsi que sur une enquête. Le certificat médical doit être adressé au bureau d'aide sociale du domicile, ou à la caisse de retraite dont dépend le demandeur.

Fonction. L'aide-ménagère, employée par le bureau d'aide sociale ou une association loi 1901, effectue les travaux indispensables que la personne âgée ne peut plus ou ne peut qu'incomplètement assurer elle-même : l'entretien du logement (chauffage, linge...), les courses et la confection des repas, ainsi qu'un certain nombre de relations avec l'environnement, notamment des démarches administratives courantes ou bien l'accompagnement de la personne concernée lors de consultations chez le médecin par exemple. L'aide-ménagère intervient en général à raison de 30 heures par mois, bien que certaines caisses de retraite prennent en charge des heures supplémentaires pouvant aller jusqu'à 60, voire 90 heures par mois. Ces heures sont réparties quotidiennement ou regroupées en demi-journées, en dehors du week-end.

Financement. Le financement est assuré par l'aide sociale, les caisses de retraite et les bénéficiaires, auxquels une participation horaire est demandée en fonction de leurs ressources. En fait, et très schématiquement, pour profiter de l'aide ménagère au titre de l'aide sociale, les revenus ne doivent pas dépasser 3 000 francs par mois (et résider depuis plus de 3 mois dans la commune). S'ils sont supérieurs à ce plafond, une aide est toutefois possible par la caisse principale de retraite ou la caisse complémentaire. La législation prévoit le recouvrement d'une partie de ces sommes sur la succession du bénéficiaire, lorsque l'actif successoral dépasse 250 000 francs.

Les services d'aide ménagère sont nombreux et répartis dans la quasi-totalité des communes, gérés de façon indépendante ou intégrés à d'autres. Les personnes âgées, qui, pour les 4/5 d'entre elles, vivent seules, représentent 97 % des bénéficiaires. Elles étaient 300 000 en 1990, et on estime que ce chiffre est en constante augmentation. En revanche, le nombre de bénéficiaires au titre de l'aide sociale a diminué de 150 000 en 1983 à 113 000 en 1990.

Les coordonnées des services d'aide ménagère s'obtiennent à la mairie, auprès de l'assistante sociale de secteur ou d'un service hospitalier. De plus, un certain nombre de structures peuvent être contactées. Nous en donnons, en fin d'ouvrage, une liste non exhaustive.

● *Les auxiliaires de vie*

Conditions. Il s'agit d'un service destiné aux personnes âgées très dépendantes dont le recours à une tierce personne est indispensable pour effectuer les actes essentiels de la vie. Pour bénéficier de ce service, il est nécessaire d'être reconnu par la COTOREP (Commission technique d'orientation et de reclassement professionnel) comme étant une personne handicapée ne pouvant effectuer seule les actes essentiels de la vie.

Fonction. Les auxiliaires de vie interviennent à domicile, 7 jours sur 7, et pour une durée qui est fonction du degré de dépendance (au minimum 3 heures par jour). Ils ont pour rôle d'assurer le lever et le coucher, la toilette et l'habillage, l'alimentation (confection et prise du repas), l'entretien du linge et du logement. Il leur revient également d'accompagner la personne âgée dépendante dans ses relations avec l'environnement (tâches administratives, soins...).

Financement. Les auxiliaires de vie sont salariés par divers organismes, en général des associations loi 1901 qui, dans tous les cas, doivent être conventionnées auprès de la préfecture. Le financement est assuré par l'Etat sous forme de subventions, le département et une participation du bénéficiaire au coût horaire.

● *Les services de garde à domicile*

Fonction. Ils ont pour fonction d'assurer la surveillance, les soins d'hygiène et les besoins élémentaires de la vie, pendant une période donnée. Il s'agit, assez souvent, d'un service utilisé en complément d'autres aides, de manière temporaire (vacances, week-end) ou plus systématique (nuits).

Financement. Ces services sont entièrement à la charge du bénéficiaire, qui salarie une personne ayant le statut d'employée de maison ou bien fait appel à des associations mandataires. Il est possible de bénéficier d'exonérations des charges patronales suivant des critères qui peuvent vous être précisés par l'URSSAF. D'autre part, certaines caisses de retraite ou des mutuelles assurent une participation financière. Les durées de prise en charge sont limitées à 6 mois par an. Le financement, assuré par la Caisse nationale d'assurance vieillesse, peut atteindre 80 % des dépenses engagées, soit 7 700 francs par mois pour une personne seule ou 11 500 francs pour un couple.

Des associations, dont nous fournissons une liste en fin d'ouvrage, peuvent communiquer les coordonnées de services de garde (ADMR, ASSIDOM, ATMOSPHÈRE, ESPACE, 3e AGE, TERPA, UNASSAD...).

● *Les services de restauration*

Deux modalités principales sont actuellement proposées aux personnes âgées : les foyers-restaurants et les repas livrés à domicile.

Les *foyers-restaurants* permettent à des personnes valides, âgées de plus de 60 ans, vivant à leur domicile, de prendre leur repas en collectivité. Ce service est en principe organisé par un établissement, foyer-logement ou maison de retraite, pour le repas de midi. Le prix de revient du repas est fixé par le département, avec une participation du bénéficiaire déterminée en fonction de ses ressources. C'est auprès des services sociaux dépendant du conseil général qu'il faut s'adresser.

Les *repas à domicile* destinés à des personnes âgées de plus de 60 ans sont confectionnés par un établissement qui les livre au domicile, une fois par jour, à midi. Outre un repas équilibré, cette prestation permet la venue quotidienne d'une équipe au domicile et peut être mise en place à la suite d'une demande effectuée auprès de l'organisme gérant les repas, quelquefois par l'intermédiaire de l'assistante sociale, auprès du bureau d'aide sociale ou de la mairie de la commune. Une participation est demandée au bénéficiaire à hauteur de ses ressources.

● *Les services divers*

Un certain nombre d'autres services peuvent se révéler utiles. Parmi ceux-ci, nous citerons : le service de blanchisserie ; le service de courses à domicile ; le service de télévigilance ou télé-alarme. N'oublions pas les clubs et universités du 3ᵉ Age. Certains ont eu un essor particulier, notamment en milieu rural.

Les services sociaux de la mairie du domicile, de la préfecture, du conseil général ou du centre hospitalier, ainsi que diverses associations, dont nous avons établi une liste à la fin de cet ouvrage, peuvent fournir des renseignements ou aider à effectuer une démarche.

● *Le matériel médical*

Outre l'aménagement du domicile, il peut être nécessaire au confort de la personne âgée malade de disposer d'appareils médicaux ou orthopédiques (lit médical ou lit clinique, matelas anti-escarre, coussin anti-escarre, fauteuil percé, table roulante ou pour les déplacements : canne, déambulateur, fauteuil roulant, fauteuil de transport, etc). Certains font l'objet d'un remboursement par la Sécurité sociale, aussi bien pour l'achat que pour la location. Il est alors nécessaire de présenter une prescription et une feuille de maladie établies par le médecin, ainsi que le devis d'un professionnel. Ces éléments doivent être adressés à la Sécurité sociale pour accord préalable.

● *Les soins particuliers*

Le maintien à son domicile d'une personne âgée souffrant de maladie d'Alzheimer nécessite des soins, remboursés par l'assurance maladie à 100 %, qui peuvent être réalisés suivant diverses modalités que nous envisagerons successivement : les soins ambulatoires, les soins et l'hospitalisation à domicile.

● *Les soins ambulatoires*

Le médecin traitant peut apporter, à son cabinet ou lors de visites à domicile, des soins, ou bien prescrire des traitements ou des interventions qui seront réalisés par des personnels paramédicaux (infirmières ou kinésithérapeutes). Il est le lien indispensable entre les différents intervenants amenés à suivre le malade.

• *Les services de soins à domicile*

Ils sont organisés par des équipes, composées de personnels infirmiers et aides-soignants, qui assurent des soins d'hygiène et de nursing (toilette, prévention des escarres, pansements, etc.). Ces interventions se font sur prescription médicale et sous surveillance du médecin traitant qui assure les prescriptions médicamenteuses. Elles relèvent de services organisés par un infirmier libéral ou par des associations de soins à domicile, publiques ou privées, ayant signé une convention avec les caisses d'assurance maladie.

Les possibilités d'intervention sont d'environ 200 à 300 heures par an ; dans certains cas, l'intervention est bi-quotidienne, 7 jours sur 7. Elle nécessite une prescription médicale, qui doit être transmise à la Caisse primaire d'assurance maladie. L'accord de la Caisse est donné pour un mois puis, après contrôle, prolongé suivant les besoins. L'assurance maladie assure la prise en charge financière à partir d'un forfait soins dont le montant est décidé par arrêté préfectoral et qui peut être de 100 % si le malade bénéficie, du fait de la maladie d'Alzheimer, d'une prise en charge en ALD (affection de longue durée).

Les services de soins infirmiers à domicile (SSIAD) peuvent également intervenir au niveau des foyers-logements ou des maisons de retraite.

Les bénéficiaires en sont pour l'essentiel des personnes âgées de 65 ans ou plus, qui vivent à leur domicile. Selon une enquête réalisée en 1991, ces services prenaient en charge environ 0,5 % des personnes de plus de 65 ans vivant à leur domicile ou en logement-foyer (près de la moitié était âgée de 85 ans et plus), moins de 42 000 au total. Parmi elles, un quart était très dépendantes, confinées au lit et au fauteuil. La majorité (65 %) avaient besoin d'une aide pour faire leur toilette ou s'habiller.

• **L'hospitalisation à domicile**

Destiné à des malades nécessitant des soins somatiques relativement importants (maladies cardiaques décomposées, cancer, etc.), ce service met à leur disposition : le matériel médical qui leur est nécessaire (lit adapté, fauteuil roulant, etc.) ; l'intervention d'aides-ménagères ; les interventions d'une équipe médicale pluridisciplinaire : aides-soignantes pour la toilette, le nursing et certains soins (prévention des escarres...), infirmières coordonnant les différentes interventions et assurant la liaison avec le médecin qui supervise l'hospitalisation à domicile, kinésithérapeutes si besoin. Notons que les personnes présentant des troubles psychiatriques ou psycho-comportementaux en sont exclues.

Le service d'hospitalisation à domicile peut dépendre d'un centre hospitalier ou être géré par un organisme privé, ayant une convention avec les caisses de Sécurité sociale. Sa mise en place requiert une prescription médicale et un accord du médecin contrôleur. Le forfait journalier est pris en charge par l'assurance maladie avec possibilité de tiers payant par l'organisme de prise en charge.

• **L'équipe de secteur psychiatrique**

Fonction. Il s'agit d'une équipe médico-sociale constituée d'un médecin, d'infirmières, d'assistantes sociales qui, grâce à sa souplesse, intervient au domicile des malades, dans des institutions sanitaires et sociales (maisons de retraite, foyers-logements), ainsi qu'en milieu hospitalier. L'idée directrice est de tout mettre en œuvre pour maintenir le malade dans son milieu de vie habituel où lui seront apportés les soins et l'aide médico-psychologique nécessaires, tout en respectant son intimité et en maintenant son indépendance. Elle peut être aussi mise en place en relais d'une hospitalisation.

Admission. Ce service est gratuit pour le bénéficiaire. La demande sera formulée par le malade ou sa famille, directement au dispensaire ou au service hospitalier dont il dépend, ou lors d'une consultation médicale (le médecin généraliste ou psychiatre contactera l'équipe de secteur pour solliciter son intervention). Elle peut également émaner des services sociaux.

Le médecin de l'équipe peut être consulté au dispensaire dans certaines institutions. Il assure des soins médicaux et psychologiques et intervient auprès des équipes institutionnelles. De plus, il peut développer des prises en charge thérapeutiques de groupe.

Organisation. Les infirmières et assistantes sociales se déplacent également à domicile. Leur rôle est multiple : assurer un soutien psychologique ; apporter une aide et des conseils à l'aménagement de l'habitation ; dépister toute altération de l'état du malade et, dans ce cas, alerter au plus tôt le médecin (elles peuvent, en effet, observer de façon tout à fait privilégiée son évolution, à travers des activités réalisées avec lui, telles que des démarches administratives à l'extérieur, des préparations de repas ou soins corporels). Leurs visites, régulières et planifiées, constituent un soutien fiable aux familles : elles écoutent, prennent en compte les difficultés quotidiennes, expliquent, dédramatisent la situation, donnent des conseils.

L'équipe de secteur psychiatrique apporte également une aide matérielle en termes de coordination et de liaison entre les différents intervenants (aides-ménagères, auxiliaires de vie, etc.), et facilite certaines démarches auprès du bureau d'aide sociale telles que l'inscription à un club de 3e âge, la mise en place de repas livrés à domicile, les demandes d'aide médicale gratuite ou d'une carte de transports en commun.

Prises en charge
à temps partiel

On désigne ainsi l'ensemble des modalités de prise en charge qui se sont développées en alternative aux solutions plus traditionnelles que représentent l'hospitalisation à temps complet ou le placement en institution. Diverses formules existent, parmi lesquelles l'hôpital de jour, l'hôpital de nuit, le centre d'accueil thérapeutique à temps partiel, le centre d'accueil de jour, les structures d'hébergement de jour et l'accueil temporaire.

● L'hôpital de jour

Fonction. Il a pour principe de dispenser des soins sur un temps limité, en pratique la journée, les personnes retournant chez elles la nuit.

En règle générale, l'hospitalisation de jour est destinée à des personnes pour lesquelles une stabilisation (voire une amélioration) de l'état est envisagée. Ces structures participent de manière importante au maintien à domicile et permettent souvent de retarder, sinon d'éviter, l'entrée dans une institution. L'articulation avec d'autres types de prise en charge, notamment l'organisation à domicile, est une condition de réussite de l'hospitalisation de jour.

Il existe des hôpitaux de jour gériatriques, plutôt axés sur les problèmes somatiques, et des hôpitaux de jour psychogériatriques, plutôt destinés à des personnes qui présentent des troubles médico-psychologiques. L'hospitalisation de jour permet de réaliser les bilans nécessaires pour préciser un diagnostic. Elle permet aussi, et surtout, de dispenser des soins. Le malade est suivi par le médecin spécialiste responsable de l'hôpital de jour et par une équipe multidisciplinaire regroupant du personnel infirmier ainsi que des psychologues, kinésithérapeutes, assistantes sociales, etc. L'organisation des soins au cours de la journée et de la semaine varie suivant les hôpitaux qui, en règle générale, fonctionnent du lundi au vendredi avec des périodes de fermeture annuelle, notamment l'été, pendant lesquelles d'autres structures de soins prennent le relais. La personne y bénéficie de psychothérapies individuelles ou de groupes, de soins à visée corporelle, de mobilisations-stimulations, d'activités dont le but est de favoriser la resocialisation. Si des médicaments sont nécessaires, ils sont, bien entendu, donnés durant la période passée en hôpital de jour et les soins somatiques y sont réalisés. L'ensemble du travail s'effectue en coordination étroite avec le médecin traitant, les services de soins à domicile, et implique des contacts réguliers avec les familles.

Notons que l'hospitalisation de jour est parfois proposée en substitution d'une hospitalisation classique ou comme relais pour la raccourcir. On limite ainsi la désadaptation par rapport au milieu de vie habituel (domicile, maison de retraite ou foyer-logement). C'est un de ses avantages majeurs. Les personnes concernées l'acceptent, en général, plus volontiers qu'une hospitalisation complète. Cette formule permet également de bénéficier pleinement de la polyvalence des soins hospitaliers, tout en offrant une grande souplesse à l'égard des situations individuelles. En effet, un malade peut être reçu tous les jours en phase évolutive aiguë ou à un rythme plus lent (une fois par semaine ou tous les quinze jours), s'il s'agit d'une phase de stabilité. La durée de prise en charge est tout à fait modulable, allant de quelques jours, en cas de pathologie aiguë rapidement résolutive, jusqu'à des prises en charge au long cours pour des problèmes chroniques. Toutefois, l'hospitalisation de jour ne peut se substituer à une hospitalisation complète dans les cas qui nécessitent une surveillance permanente.

Elle montre aussi ces limites : hormis des établissements hospitaliers qui disposent de structures de jour spécifiques pour accueillir les malades parvenus à une phase très évoluée de la maladie d'Alzheimer, ces derniers n'y ont pas accès. L'autre facteur limitant est leur localisation : elles peuvent être situées soit dans l'enceinte d'un établissement hospitalier, soit à distance de celui-ci, en milieu urbain ou rural. Ce type d'hospitalisation ne peut, bien sûr, se concevoir que lorsque la distance entre le domicile de la personne malade et l'hôpital de jour est raisonnable et lorsque son état est compatible avec un transport régulier.

Admission. La demande d'admission en hôpital de jour émane de sources diverses : du malade, de sa famille ou de son entourage, des services de soins à domicile, du médecin traitant ou spécialiste, des services sociaux ou d'un service hospitalier. Elle aboutit, en règle générale, à une consultation auprès du médecin responsable qui évalue les possibilités et l'opportunité de bénéficier d'un bilan diagnostique ou de soins dans ce type de structure. Enfin, elle relève d'une prise en charge à 100 % par la Sécurité sociale au titre des affections de longue durée pour les personnes qui souffrent de maladie d'Alzheimer ; il n'y a pas de forfait journalier.

● *L'hôpital de nuit*

Fonction. C'est une modalité d'hospitalisation qui a pour objet de dispenser des soins sur un temps limité, en pratique la nuit, les personnes retournant chez elles durant la journée. Un certain nombre de structures hospitalières, notamment les services de psychiatrie, pratiquent ce type de prise en charge. Elle est essentiellement destinée à des personnes souffrant de maladie d'Alzheimer qui présentent un problème spécifique nécessitant une surveillance médicale nocturne. Il peut s'agir de moments d'anxiété particulièrement intenses au crépuscule ou en début de nuit, manifestations anxieuses qui prennent parfois un caractère aigu allant jusqu'à la panique. D'autres manifestations pathologiques, comme des hallucinations, peuvent être également en cause, ou encore des comportements particulièrement perturbés la nuit, alors que, dans la journée, elles n'en présentent pas. L'hospitalisation de nuit apporte à l'entourage, pour lequel ces turbulences nocturnes sont difficiles à tolérer, un soulagement, tout en permettant d'observer le comportement du malade au moment où survient la perturbation. A cette occasion, les médecins peuvent préciser le diagnostic et, bien entendu, essayer d'y apporter une solution thérapeutique. Cette modalité de prise en charge offre l'avantage de ne pas couper le malade de son milieu de vie habituel et facilite ainsi le retour complet au domicile lorsqu'une solution a été trouvée à l'épisode aigu.

● *Les centres d'accueil thérapeutique à temps partiel*

Ils fonctionnent suivant des principes et modalités assez proches de ceux des hôpitaux de jour. Ils sont toutefois destinés à des personnes relevant de prises en charge plus légères. Les séances ne dépassent pas la demi-journée, mais peuvent se renouveler dans la semaine.

● *Les centres d'accueil de jour*

Il s'agit de petites unités implantées dans les quartiers, aptes à proposer des soins infirmiers, une animation, des services de psychologues ou d'assistantes sociales, de diététiciennes ou de kinésithérapeutes. Leur fonctionnement est lié à des subventions allouées par différents organismes. Ces centres de jour, dont les premiers furent créés en 1965 à Paris, sont devenus de plus en plus rares.

● *L'hébergement de jour*

Il s'agit de structures qui relèvent non plus du domaine sanitaire, comme les précédentes, mais du domaine social, donc non habilitées à délivrer des soins. Elles constituent plutôt des lieux où les personnes peuvent passer une ou plusieurs heures de la journée, tous les jours de la semaine, dans une ambiance conviviale. Des activités généralement centrées sur la vie quotidienne y sont organisées. Les frais incombent au bénéficiaire. Les mairies, bureaux d'aide sociale, associations de familles ou organismes privés sont, en principe, à l'origine de ce type de structures et en assurent la gestion.

● *L'accueil temporaire*

Son but est de permettre au conjoint, à la famille ou à l'entourage qui a en charge une personne souffrant de maladie d'Alzheimer, de prendre un temps de repos d'une ou plusieurs semaines, pendant lequel ils seront déchargés de la surveillance et des soins qu'ils apportent habituellement au malade. Ce type d'accueil peut s'organiser suivant différentes modalités. Certaines maisons de retraite proposent des séjours, de même que les maisons de repos après demande d'entente préalable. Des hôpitaux proposent également des hébergements temporaires ; le plus souvent, la partie soins est prise en charge par la caisse d'assurance maladie, et la partie hébergement par le bénéficiaire.

Prises en charge
à temps complet

Environ 5 % des personnes âgées sont hébergées en institutions. Cette proportion augmente avec l'âge : elle est de 1,5 % entre 65 et 75 ans, 10 % entre 75 et 85 ans et 15 % au-delà de 85 ans.

En 1994, les établissements destinés aux personnes âgées étaient au nombre de 9 900, avec un âge moyen d'admission des bénéficiaires de 79 ans. S'il était classique de distinguer les établissements du registre sanitaire, c'est-à-dire schématiquement les établissements hospitaliers et les établissements à caractère social (maisons de retraite...), la tendance est à la diversification et à la médicalisation.

La diversification des services proposés et le vieillissement de la population ont contribué à l'augmentation importante, ces dernières années, des coûts de financements collectifs pour les personnes âgées dépendantes. Afin de contrôler les déficits sociaux, les pouvoirs publics ont envisagé des réformes concernant les financements, notamment la tarification des établissements assurant des prises en charge à temps complet de personnes dépendantes. Ce nouveau système de tarification devrait entrer en vigueur le 1er janvier 1999, en application de la loi du 24 janvier 1997. Nous y reviendrons dans le chapitre consacré aux aides financières, sanitaires et sociales.

Guide des prises en charge 135

● *Les établissements hospitaliers*

Quelles sont les pathologies le plus souvent à l'origine des hospitalisations des personnes âgées ?

Les maladies cardio-vasculaires sont les pathologies les plus fréquentes rencontrées chez les gens âgées et la première cause d'hospitalisation. Puis viennent les maladies de l'appareil circulatoire, responsables de près de 20 % des séjours hospitaliers pour les hommes et 18 % pour les femmes, au-delà de 65 ans. Les maladies du système nerveux, dont la maladie d'Alzheimer, les suivent d'assez près et en constituent 12 %.

Dans ce cadre, des établissements hospitaliers ont développé des services plus particulièrement destinés aux personnes âgées : gériatrie, psychogériatrie. Ces hospitalisations représentent une partie importante du coût des dépenses médicales. (voir tableau 9, p. 120). Ce qui explique l'intérêt grandissant que les pouvoirs publics portent à cette question. D'autant que, d'une manière générale, elles augmentent avec l'âge. Donnons quelques chiffres. Au-delà de 65 ans (15,3 % de la population), la part des dépenses médicales est de 39,6 % des dépenses médicales globales ; après 85 ans (1,9 % de la population), 8,8 %. Elles sont liées d'une part aux hospitalisations, séjours en maisons de retraite, hospices ou logements-foyers, soit au total 49,7 % de la consommation médicale et, d'autre part, aux soins ambulatoires ou à domicile, soit un peu plus de 50 % de la consommation médicale totale (29,2 % pour les services et 21,2 % pour les produits pharmaceutiques et prothèses). Les hospitalisations atteignent 51 % de la dépense médicale chez les personnes de 65 à 75 ans, et 63 % chez les 85 ans et plus.

● *L'urgence*

Les services d'urgence, qui peuvent admettre des personnes sans prescription médicale d'hospitalisation, les orientent, après un bilan initial, vers le service hospitalier le plus apte à les prendre en charge dans l'immédiat. Il peut s'agir d'une unité de gériatrie ou de psychogériatrie, lorsque ce type d'unité existe dans l'établissement.

• *Les services de soins de court séjour*

Fonction. Ils accueillent les malades qui nécessitent des soins aigus. Certains sont spécifiquement orientés vers les soins destinés aux personnes âgées, tels que les services de gériatrie ou de psychogériatrie, d'autres sont organisés autour des soins d'un organe ou d'une fonction ; par exemple, les services de cardiologie ou d'orthopédie. Comme leur nom l'indique, ils assurent des hospitalisations de brève durée : souvent une huitaine de jours, très rarement plus de 3 semaines ou un mois.

Prise en charge. La maladie d'Alzheimer et les troubles apparentés justifiant d'une exonération du ticket modérateur, c'est-à-dire d'une prise en charge à 100 % par les organismes de couverture sociale au titre des affections de longue durée (ALD), les hospitalisations, motivées par ces pathologies, sont prises en charge à 100 % dès le premier jour. Le paiement du forfait journalier incombe, en principe, à la personne hospitalisée ou à sa famille. Toutefois, certaines mutuelles le prennent en charge. L'admission dans un service hospitalier se faisant sur prescription médicale – sauf dans le cas où elle a lieu par l'intermédiaire du service des urgences –, l'orientation sur tel ou tel service résulte en principe d'une décision consensuelle entre le médecin traitant du malade et le médecin du service qui l'accueille.

• *Les services de soins de moyen séjour*

Fonction. La vocation première de ces services est la prise en charge des pathologies somatiques de la personne âgée, notamment les rééducations fonctionnelles de chirurgie orthopédique après fracture ou mise en place de prothèse. Leur objectif est la réadaptation du malade en vue du retour à une existence plus autonome après un problème somatique aigu. La durée de séjour ne peut excéder 80 jours. Mais, bien que théoriquement non destinés aux personnes présentant des troubles psychocomportementaux, par exemple ceux rencontrés dans la maladie d'Alzheimer, force est de constater qu'ils sont, souvent, utilisés comme transition, après hospitalisation dans un service de court séjour, en attente d'une possibilité de placement dans un service de soins de longue durée (les changements répétés de service n'étant d'ailleurs pas sans poser problème, car ils contribuent largement à accentuer la désorientation). L'admission se fait sur prescription médicale. Les frais sont pris en charge à 100 % par l'assurance maladie après accord avec la caisse. Le forfait journalier reste à la charge de la personne hospitalisée ou de sa famille.

• *Les services de soins de longue durée*

Fonction. Appelés jusqu'à une date récente services de long séjour, ils sont orientés vers l'hébergement de personnes qui ont perdu leur autonomie et dont l'état de santé exige une surveillance médicale constante et des traitements d'entretien. Ces services, qui représentent environ 79 000 places à l'heure actuelle, existent surtout dans des établissements hospitaliers publics. A la fin de l'année 1994, 600 000 personnes résidaient dans des établissements sociaux, médico-sociaux et dans des unités de soins de longue durée pour personnes âgées : 154 000 vivaient dans des logements-foyers, 375 000 dans des établissements sociaux de type maisons de retraite et 68 000 dans des unités de long séjour. Parmi les résidents de ces institutions, si le pourcentage de personnes qui présentent une détérioration intellectuelle s'accompagnant d'une dépendance et nécessitant une aide était relativement faible dans les logements-foyers (de l'ordre de 2 %), il s'élevait à 25 % dans les maisons de retraite disposant d'une section de cure médicale, pour atteindre 62 % dans les services de soins de longue durée.

Si le choix d'un tel placement est souvent douloureux et ne va pas sans un sentiment de culpabilité pour l'entourage, il faut reconnaître que ces institutions offrent une prise en charge de qualité à des phases évoluées de la maladie et jusqu'à la fin de la vie de la personne malade. La décision doit être mûrement réfléchie, discutée à plusieurs reprises avec le médecin et l'équipe ayant en charge le suivi du malade et en aucun cas être envisagée à la dernière extrémité. Même s'il est pénible d'y penser, il faut que la famille ait le temps de surmonter les difficultés psychologiques qu'une telle décision impose, d'accepter. Il faut également que le malade soit préparé à ce changement dans son existence. Enfin, sur un plan matériel, il faut visiter plusieurs établissements, rencontrer les équipes, avant de faire son choix.

Financement. Le financement en est double. Le forfait soins (248 francs par jour) est pris en charge à 100 % par l'assurance maladie. Le forfait hébergement, d'environ 300 francs par jour, est à la charge de la personne malade, de sa famille ou de l'aide sociale du conseil général.

Admission. La demande d'admission, adressée au directeur de l'établissement, repose sur un dossier médical précisant l'état du malade et les soins à fournir, un dossier social et administratif semblable à celui demandé dans les maisons de retraite, et l'accord du médecin conseil de l'organisme prenant en charge le forfait soins. Si les ressources de la personne malade ne sont pas suffisantes pour le paiement de l'hébergement, une demande d'aide sociale peut être sollicitée. Il faut savoir que, selon les termes de la loi, l'obligation alimentaire impose aux conjoint, père, mère, enfants, petits-enfants, gendres, belles-filles de participer aux frais d'hébergement, si leurs ressources le leur permettent.

On peut se procurer dans les DDASS (direction départementale des affaires sanitaires et sociales) la liste de tous les établissements publics et privés du département, qu'il s'agisse des établissements hospitaliers, que nous venons de décrire, ou des établissements sociaux que nous allons maintenant envisager.

● *Les structures médico-sociales d'hébergement collectif*

Il existe différents types de structures relevant des établissements sociaux : les logements-foyers, les maisons de retraite, les maisons d'accueil. Certaines disposent de sections de cure médicale destinées à recevoir des personnes dont l'affection somatique ou psychique est stabilisée, mais qui nécessitent un traitement d'entretien, une surveillance médicale ou des soins paramédicaux. Ces sections peuvent garder les personnes âgées, notamment atteintes de maladie d'Alzheimer, tant que leur état de santé n'impose pas les soins d'un établissement hospitalier.

• *Les logements-foyers*

Fonction. Le principe est d'associer de petits logements autonomes et des locaux communs pour les repas et les loisirs. Il s'agit d'une solution intermédiaire entre l'habitat individuel et l'hébergement collectif. En pratique, les logements proposés, F1bis ou F2 pour les couples, avec possibilité de cuisiner, sont situés à proximité de services collectifs mis à la disposition des personnes âgées, notamment : service de restauration, service ménager, clubs et service paramédical. Cela dans un même lieu lorsqu'il s'agit de logement-foyer type (les foyers « Soleil ») réunissant d'une part des services collectifs regroupés en un foyer, avec d'autre part des logements loués dans les immeubles alentour.

Les logements-foyers sont au nombre de 2 900 et offrent, à l'heure actuelle, 153 000 places. Ils accueillent des personnes âgées de plus de 60 ans, valides et autonomes. C'est-à-dire aptes à se déplacer, s'habiller, faire sa toilette, manger seul et assurer l'entretien du logement. La médicalisation de ces établissements est possible, nous y reviendrons.

La construction de ces logements-foyers est souvent financée par des sociétés d'HLM, des centres communaux d'action sociale ou des conseils généraux. Ils sont ensuite gérés par les centres communaux d'action sociale ou par des associations privées.

Admission. La demande d'admission émane de la personne elle-même, de sa famille ou d'un membre de son entourage (assistante sociale...). Outre des renseignements administratifs (état civil de la personne, nom et adresse des enfants), le directeur de l'établissement demande des renseignements financiers (montant des ressources, adresse de l'organisme payeur, numéro de la pension de retraite...) et médicaux (certificat du médecin décrivant l'état de la personne et le traitement suivi).

Prise en charge. Les frais d'hébergement sont à la charge des locataires et fonction de leurs revenus. Le bénéficiaire doit payer le loyer plus les charges ainsi que les services annexes. L'intervention de l'aide sociale est possible en cas de ressources insuffisantes. Les aides au maintien à domicile peuvent être attribuées à des personnes hébergées en logement-foyer (aide ménagère, soins à domicile...).

Avantages. Les personnes âgées qui recherchent ce type d'établissement mettent essentiellement en avant leur besoin de sécurité ; elles sont assurées d'un certain nombre de prestations, notamment les repas, et d'un environnement protecteur. Elles y apprécient l'avantage d'une relative autonomie et la possibilité d'aménager l'appartement avec leur mobilier personnel, ce qui limite la coupure avec le cadre de vie antérieur.

Contraintes. Toutefois, certains problèmes ne manquent pas de se poser. Outre les délais d'admission parfois longs et des sites d'implantation éloignés, il existe des disparités notables d'équipement suivant les régions. Par ailleurs, certaines personnes âgées acceptent difficilement le fait de vivre entourées de personnes de la même tranche d'âge, ou plus âgées. D'autant que la vie communautaire implique ses contraintes. Mais surtout, c'est la notion même de personne âgée autonome et valide qui pose problème. En effet, à ce stade, les aides à domicile qui peuvent lui être apportées s'avèrent, en règle générale, très suffisantes pour satisfaire ses demandes et cela souvent jusqu'à un âge avancé. En fait, c'est le très grand âge ou une perte d'autonomie qui sont à l'origine de la demande d'admission en logements-foyers. D'où une relative inadéquation entre l'offre et la demande. La médicalisation de ces structures est une forme de réponse.

D'autre part, à travers les critères requis pour bénéficier de ce type de logement-foyer, on comprend bien que des personnes présentant une dépendance liée à des troubles de mémoire, même s'ils ne sont pas trop avancés, ou souffrant de troubles psycho-comportementaux, ne relèvent pas, en principe, de ce type de structure. La médicalisation des lits et les possibilités d'intervention des équipes de secteur psychiatrique permettent, dans les cas où la maladie est peu évoluée, une certaine adaptation. Toutefois, malgré le souhait qu'expriment souvent les personnes malades ou leur famille d'en bénéficier, il n'est pas forcément souhaitable, à long terme, de recourir à une structure dans laquelle, à un moment ou à un autre, le décalage par rapport aux critères demandés s'accentuera, obligeant alors à envisager un autre établissement. La multiplication des transferts, nous l'avons déjà mentionné, est une source de risques de détérioration accélérée.

• *Les maisons de retraite*

Fonction. Les maisons de retraite sont actuellement au nombre de 6 000 et offrent 293 000 places. Elles concernent 60 % des personnes en institution.

Le principe est d'offrir une prise en charge globale associant l'hébergement (chambre individuelle ou à deux lits) et différents services : restauration en salle à manger, soins, animations...

Elles accueillent des personnes âgées de plus de 60 ans, valides ou semi-valides. Il est demandé aux pensionnaires de disposer de certaines capacités : s'habiller, faire sa toilette, se déplacer pour prendre les repas dans la salle à manger, se nourrir et de ne pas présenter de troubles susceptibles de gêner la vie en collectivité.

Cependant, la médicalisation de ces établissements, grâce à l'ouverture de sections de cure médicale, leur permet de recevoir des personnes ayant perdu certaines capacités ou atteintes d'affections stabilisées. Des prestations médicales et paramédicales sont assurées dans certaines limites. Il est ainsi possible de traiter des pathologies aiguës ou de prendre en charge une dépendance physique ou psychique (prise de médicaments, incontinence, nécessité d'une aide pour la toilette, etc.). Cela permet, dans un certain nombre de cas, d'éviter des hospitalisations. Mais le niveau de dépendance toléré par ces établissements reste limité. Ainsi, lorsque l'évolution des troubles liés à la maladie d'Alzheimer devient trop importante, est-il très difficile, voire tout à fait impossible, d'éviter l'orientation vers des structures médicales d'hébergement de type long séjour. Ici encore, l'intervention des équipes de secteur psychiatrique, particulièrement lorsqu'elles sont formées à la psycho-gériatrie, joue souvent un rôle dans l'amélioration de l'état des malades et l'acceptation par l'entourage de la maison de retraite. En dédramatisant certaines situations, elle permet de prolonger ainsi le maintien dans ce type de structure. Ces sections de cure médicale représentent actuellement 95 000 places en France.

Admission. Les maisons de retraite peuvent être gérées par le secteur public, qu'elles dépendent d'établissements hospitaliers ou d'autres structures, ou bien ressortir à des associations privées. Les frais d'hébergement sont acquittés par le bénéficiaire ou sa famille. En cas de ressources insuffisantes, l'aide sociale du conseil général peut intervenir. Le forfait pour la prise en charge en section de cure médicale, qui est de 160 francs par jour actuellement, relève de l'assurance maladie. Les demandes d'admission, adressées au directeur de l'établissement, se font suivant des modalités similaires à celles précisées plus haut pour les logements-foyers.

• *Les maisons d'accueil*

Les obstacles liés à la perte d'autonomie – intellectuelle ou cognitive – et aux difficultés psychocomportementales inhérentes à la maladie d'Alzheimer ont amené un certain nombre de structures, destinées à répondre à ces besoins spécifiques, à se développer. Ces établissements obéissent à des normes techniques et architecturales précises et sont, à cette condition, subventionnées par des caisses. Il s'agit de maisons d'accueil de différents types :
– MAPAD : maisons d'accueil pour personnes âgées dépendantes ;
– MARPA : maisons d'accueil rurales pour personnes âgées relevant de la Mutualité sociale agricole ;
– CANTOU : centre d'animation naturelle et d'occupation utile.
Ces structures sont spécifiquement orientées vers l'accueil de personnes qui présentent une détérioration mentale sévère. Un certain nombre d'activités adaptées leur sont proposées, centrées sur la confection des repas et animées par une maîtresse de maison (auxiliaire de vie), qui organise le groupe pour permettre à chacun une participation effective. Les promoteurs de ce type de structures souhaitent mettre en place une formule de prise en charge simple et souple, offrant une bonne qualité de vie à des personnes gravement atteintes.

Remarquons, pour terminer, que plusieurs structures, comme par exemple les MAPAD, réservent, sur l'ensemble des places dont elles disposent, un petit quota d'entre elles aux CANTOU afin d'accueillir les personnes gravement désorientées qui en relèvent. L'un des principaux avantages est de maintenir le malade dans la structure jusqu'à un stade extrêmement évolué de la maladie, voire jusqu'à la fin de ses jours, évitant ainsi les transferts d'établissements qui pourraient être imposés par une dégradation de son état.

A l'augmentation du nombre de personnes âgées dans la population a répondu un développement des services et institutions médico-sociaux.

Ainsi, actuellement, des services et des structures favorisent-ils le maintien à domicile : services d'aides ménagères, auxiliaires de vie, services de garde à domicile, services de restauration (foyers-restaurants, repas à domicile), services de blanchisserie, courses, télévigilance ou téléalarme et, enfin, services de soins (médecins, infirmières, équipes de secteur psychiatrique).

Des prises en charge à temps partiel se sont développées en alternative aux solutions plus traditionnelles que sont l'hospitalisation à temps complet ou le placement en institution : hôpital de jour, hôpital de nuit, centre d'accueil thérapeutique à temps partiel, centre d'accueil de jour, hébergement de jour et accueil temporaire peuvent s'articuler avec les aides au maintien à domicile.

Les prises en charge à temps complet, qui concernent environ 5 % de la population âgée, relèvent soit des établissements hospitaliers, soit d'établissements à caractère social. Les établissements hospitaliers disposent de services d'urgence et de court séjour qui accueillent les patients nécessitant des soins intensifs, de services de moyen séjour dont l'objectif est la réadaptation en vue du retour à une existence plus autonome après une phase aiguë, et enfin de services de soins de longue durée orientés vers l'hébergement des patients qui ont perdu leur autonomie et dont l'état de santé nécessite une surveillance médicale constante et des traitements d'entretien.

Les structures médico-sociales d'hébergements collectifs regroupent les logements-foyers, les maisons de retraite et les maisons d'accueil. Certaines d'entre elles disposent de sections de cure médicale, destinées à recevoir des personnes dont l'affection somatique ou psychique est stabilisée mais qui nécessitent un traitement d'entretien, une surveillance médicale ou des soins paramédicaux. Ces sections peuvent prendre en charge des personnes âgées, notamment atteintes de maladie d'Alzheimer, tant que leur état de santé n'impose pas les soins d'un établissement hospitalier.

Aides financières, sanitaires et sociales

● *La prise en charge des dépenses de soins par la Sécurité sociale*

La maladie d'Alzheimer et les troubles apparentés donnent droit à une prise en charge à 100 % par la Sécurité sociale dans le cadre des affections de longue durée (ALD). Cette prise en charge couvre un certain nombre de dépenses engagées du fait de la maladie d'Alzheimer : les frais médicaux et pharmaceutiques, les soins et les examens.

C'est le médecin, généraliste ou spécialiste, qui établit un certificat demandant la prise en charge à 100 % au médecin conseil de la caisse de Sécurité sociale. Ce certificat doit être accompagné d'une lettre précisant l'état civil du malade, ses coordonnées et le numéro de Sécurité sociale de l'assuré. Le médecin reçoit alors un « protocole national inter-régime d'examen spécial » qu'il doit remplir, puis retourner à la caisse qui notifie alors sa décision. Lorsque le 100 % est accordé, il effectue les prescriptions sur des ordonnances spéciales comportant deux zones, appelées ordonnances bi-zones. La partie supérieure correspond à l'ensemble des soins qui relèvent de l'exonération du ticket modérateur, tandis que la partie inférieure est destinée à inscrire tout ce qui concerne des soins qui ne sont pas directement en rapport avec cette prise en charge à 100 %.

La Sécurité sociale assure, dans le cadre du régime général, le versement d'indemnités journalières pendant 3 ans à dater du premier arrêt de travail ; d'un montant égal à la moitié du salaire journalier de base. Au-delà des 3 ans, l'assuré, âgé de moins de 60 ans, relève d'une pension d'invalidité. Dans ce cadre, l'indemnité est de 50 % du salaire de base, sans excéder 50 % du plafond de la Sécurité sociale.

Lorsque l'assuré ne peut effectuer seul les actes ordinaires de la vie, la Sécurité sociale a la possibilité d'attribuer une aide financière : *la majoration pour tierce personne*. Pour en bénéficier, il faut justifier, avant l'âge de 60 ans, de l'impossibilité d'exercer une profession ainsi que de l'obligation d'avoir recours à l'assistance d'une tierce personne pour satisfaire à ses propres besoins élémentaires. Il faut être titulaire d'une rente accident du travail, d'une pension d'invalidité ou d'une pension anticipée accordée aux anciens déportés, anciens combattants ou prisonniers de guerre. Entre 60 et 65 ans, l'aide peut être attribuée aux titulaires de pension vieillesse qui ont bénéficié auparavant d'une pension d'invalidité sans majoration et aux titulaires d'une pension vieillesse liquidée ou révisée au titre de l'inaptitude. La demande doit être adressée à la caisse invalidité ou à la caisse vieillesse de la Sécurité sociale. En cas de refus, un recours peut être effectué auprès de la commission de recours gracieux. Cette aide est suspendue à partir du premier jour du deuxième mois civil suivant l'hospitalisation. Elle est réduite, s'il y a hébergement en service de long séjour avec prise en charge au titre de l'aide sociale.

● *La prestation spécifique dépendance*

Cette prestation a été instaurée par la loi n°97-60 promulguée le 24 janvier 1997, avec effet rétroactif à la date du 1er janvier 1997.

• *A qui est-elle destinée ?*

La *prestation spécifique dépendance* est attribuée aux personnes âgées de plus de 60 ans résidant en France et qui se trouvent en situation de dépendance, celle-ci étant définie par le fait « d'avoir besoin d'être aidé pour les actes essentiels de la vie ou requérir une surveillance régulière ». Elle concerne 300 000 personnes environ. Les personnes étrangères résidant en France de façon régulière depuis plus de 15 ans, avant l'âge de 70 ans, peuvent également en bénéficier, ainsi que les personnes originaires d'un Etat ayant conclu avec la France un accord de réciprocité, notamment la Convention européenne d'assistance médicale et sociale.

• *Les critères d'évaluation de la dépendance*

Elle s'évalue à l'aide d'un questionnaire national portant le nom de grille AGGIR (Autonomie, Gérontologie, Groupes Iso-Ressources). Ce sont les personnes âgées dépendantes dont l'état relève des groupes 1 à 3, définis à partir de la grille AGGIR, qui sont considérées en situation de perte d'autonomie et donc susceptibles de bénéficier de la *prestation spécifique dépendance* (voir tableau 10, 11, 12). Cette prestation peut être attribuée aux personnes âgées qui vivent à leur domicile (ou chez un membre de leur famille) ou bien aux personnes placées en établissement d'hébergement.

La grille AGGIR repose sur 10 variables clés relatives à la cohérence des actes et des propos ; l'orientation dans le temps et l'espace, la journée et les lieux ; la toilette ; l'habillage ; l'alimentation ; l'hygiène ; le transfert de l'une ou l'autre des 3 positions (assis, coucher, debout) ; les déplacements à l'intérieur de la structure de vie ; les déplacements à l'extérieur du domicile ; la communication pour alerter en utilisant les moyens de communication à distance (ces 2 derniers items n'étant étudiés que chez les personnes vivant au domicile ou dans un substitut).

• *Les conditions d'attribution*

L'attribution de cette prestation s'effectue sous condition de ressources. Pour obtenir la prestation maximale, les ressources d'une personne seule ne doivent pas dépasser 6 000 francs par mois et celles d'un couple, marié ou marital, 10 000 francs par mois, avant toutes déductions d'impôts. A ce plafond peut s'ajouter le montant de la prestation au taux arrêté par le président du conseil général, en fonction de l'état de dépendance de la personne âgée, dans la limite de 80 % du montant de la majoration pour tierce personne de la pension d'invalidité de la Sécurité sociale.

C'est l'ensemble des ressources qui sont prises en compte, notamment le produit des biens mobiliers, immobiliers et des capitaux. Si le demandeur dispose de biens immobiliers non exploités, ils sont censés procurer au propriétaire un revenu annuel estimé à 50 % de la valeur locative pour les immeubles bâtis et à 80 % de cette valeur pour les terrains non bâtis. S'il s'agit de capitaux non placés, ceux-ci sont réputés procurer à leur propriétaire un revenu annuel égal à 3 % de la valeur de ces capitaux.

En revanche, ne sont pas pris en compte dans les ressources : la retraite des anciens combattants et les pensions attachées aux distinctions honorifiques ; les rentes viagères constituées, en leur faveur, par leurs enfants ou par eux-mêmes pour se garantir contre le risque de dépendance ; les prestations en nature de l'assurance maladie, maternité, invalidité, accident du travail ou au titre de l'aide médicale ; l'indemnité en capital attribuée à la victime d'un accident du travail ; la prime de rééducation et le prêt d'honneur attribués à une victime d'un accident du travail en vue de faciliter son reclassement ; les frais funéraires versés aux ayants droit de la victime d'un accident du travail ; le capital décès ; l'allocation du fonds de solidarité en faveur des anciens combattants d'Afrique du Nord.

GRILLE NATIONALE AGGIR	VARIABLES DISCRIMINANTES
COHÉRENCE converser et/ou se comporter de façon sensée	
ORIENTATION se repérer dans le temps, les moments de la journée et dans les lieux	
TOILETTE concerne l'hygiène corporelle	
HABILLAGE s'habiller, se déshabiller, se présenter	
ALIMENTATION manger les aliments préparés	
ELIMINATION assumer l'hygiène de l'élimination urinaire et anale	
TRANSFERTS se lever, se coucher, s'asseoir	
DÉPLACEMENT A L'INTÉRIEUR avec ou sans canne, déambulateur, fauteuil roulant	
DÉPLACEMENT A L'EXTÉRIEUR à partir de la porte d'entrée sans moyen de transport	
COMMUNICATION A DISTANCE utiliser les moyens de communication, téléphone, sonnerie, alarme	

GRILLE NATIONALE AGGIR	VARIABLES ILLUSTRATIVES
GESTION gérer ses propres affaires, son budget, …	
CUISINE préparer ses repas	
MÉNAGE effectuer l'ensemble des travaux ménagers	
TRANSPORT prendre et/ou commander un moyen de transport	
ACHATS acquisition directe ou par correspondance	
SUIVI DU TRAITEMENT se conformer à l'ordonnance du médecin	
ACTIVITÉS DE TEMPS LIBRE activités sportives, sociales, de loisir ou de passe-temps	

Tableau 10 : La grille AGGIR (Autonomie, Gérontologie, Groupes Iso-Ressources), parution au *Journal officiel de la République Française* du 30 avril 1997.

groupe 1	perte d'autonomie totale (mentale, corporelle, locomotrice, sociale).
groupe 2	2 sous-groupes différents : • grabataires lucides, • déments déambulants.
groupe 3	perte d'autonomie physique lourde sans besoin de surveillance permanente.
groupe 4	aide de tiers indispensable pour les activités de la vie quotidienne : lever, toilette, habillage, repas.
groupe 5	besoin d'aide et surveillance ponctuelles.
groupe 6	besoin d'aucune aide : sujet âgé normal autonome.

A	fait seul spontanément	entièrement correctement habituellement
B	fait mais	soit partiellement soit imparfaitement soit irrégulièrement
C	ne fait pas spontanément	

Tableau 11: La grille AGGIR (Autonomie, Gérontologie, Groupes Iso-Ressources). Les 6 groupes iso-ressources et les 3 modalités d'évaluation de chaque variable.

De plus, il faut savoir que lorsqu'un membre du couple est placé dans un établissement d'hébergement en laissant un conjoint à son domicile, le plafond de leurs communes ressources est majoré de 2 000 francs par mois. Si les deux membres du couple répondent aux critères d'attribution de la *prestation spécifique dépendance*, ils peuvent tous les deux en bénéficier.

• *La procédure d'attribution*

Constitution du dossier. La demande doit être adressée au président du conseil général du département dans lequel réside la personne potentiellement bénéficiaire. Le dossier est constitué par les pièces justificatives de l'ouverture administrative des droits concernant l'âge du demandeur ; sa nationalité (pour les personnes de nationalité étrangère, les pièces justifiant de la régularité de sa résidence en France et de la durée de celle-ci, qui doit être supérieure à 15 ans, avant l'âge de 70 ans) ; ses ressources (voir Conditions d'attribution) et, le cas échéant, celles de son conjoint ou concubin.

Décision d'attribution. D'une part, le président du conseil général informe le maire de la commune de résidence du demandeur, l'invitant à lui communiquer son avis dans un délai de 15 jours, au terme duquel l'avis du maire est réputé favorable. D'autre part, une équipe médico-sociale comprenant au moins un médecin et un travailleur social est constituée afin d'étudier la demande. Sa mission consiste à se rendre auprès de la personne âgée qui sollicite la prestation. (laquelle peut demander que son médecin traitant soit consulté, ou même présent, lors de la visite), puis de déterminer le groupe iso-ressources du demandeur et de procéder à l'évaluation. Celle-ci, réalisée à l'aide de la grille AGGIR, donne lieu à l'établissement d'un plan d'aide qui doit être proposé à la personne âgée (ou à son représentant légal) dans un délai de 40 jours suivant la date du dépôt de la demande. Le demandeur (ou son représentant) dispose de 8 jours pour faire connaître à l'équipe médico-sociale sa décision. A cet effet, la personne concernée doit renvoyer ce plan, complété de la mention et de sa signature, au président du conseil général. S'il refuse le plan d'aide, il doit expliquer ses motifs et préciser la formule dont il souhaite bénéficier. Un nouveau plan lui sera proposé dans les 15 jours. Cela est un cadre général, défini par la loi, mais il faut savoir que cette évaluation médico-technique ne s'impose pas à l'autorité départementale, laquelle peut fonder son appréciation sur d'autres considérations.

Refus d'attribution. En cas de refus d'attribution partielle, de réduction ou de suspension de la *prestation spécifique*

AIDES PROPOSÉES			FRÉQUENCE
aide à	aide-ménagère (en heures par mois)		
domicile	garde à domicile	jour	
type	(en heures par mois)	nuit	
portage de repas (en nombre par mois)			
soins infirmiers			
AUTRES AIDES			**NÉCESSITÉ**
téléalarme			
amélioration de l'habitat			
blanchisserie à domicile			
dépannage			
autres services (précisez)			
aides techniques	fauteuil roulant		
	cannes		
	déambulateur		
	lit médicalisé		
	lève-malade		
	matériel à usage unique pour incontinence		
	autres (précisez)		

Tableau 12 : La prestation spécifique dépendance : aides proposées (grille AGGIR).

dépendance, des recours peuvent être portés devant la commission départementale d'aide sociale.

La procédure pour les personnes vivant en établissement. Elle est semblable ; mais, dans ce cas, l'évaluation de l'état de dépendance se fait soit lors de la demande de prestation, soit lors de l'admission dans l'établissement. C'est elle qui détermine, pour une large part, le montant de la prise en charge qui sera versée directement à l'établissement ; l'autre part étant fonction de la nature de l'hébergement. La prestation est soumise à une vérification périodique.

• **Comment l'utiliser**

Avantages. La prescription spécifique dépendance est une prestation d'aide sociale légale qui implique un certain nombre de conséquences. Dans un délai d'un mois suivant l'attribution de la prestation, le bénéficiaire doit déclarer au président du conseil général le ou les salariés, le service d'aide à domicile ou la famille d'accueil hébergeante qu'il rémunère au moyen de la prestation. Il peut employer un ou plusieurs membres de sa famille, à l'exception de son conjoint ou concubin, mais doit préciser le lien de parenté. La prescription ne peut pas être utilisée pour rémunérer une personne elle-même titulaire d'un avantage vieillesse. Elle est versée directement, mais peut également l'être au service d'aide à domicile, à la demande de la personne âgée bénéficiaire. Notons qu'un maximum de 10 % du montant de la prestation fixé par le règlement départemental de l'aide sociale peut être affecté à des dépenses autres que de personnel, liées à la dépendance. Le bénéficiaire doit alors justifier de l'utilisation de ces sommes.

Enfin, cette prestation n'est cumulable ni avec l'allocation compensatrice pour tierce personne, ni avec la majoration pour tierce personne d'une pension d'invalidité, ni avec l'allocation représentative de service ménager ou une aide ménagère en nature.

Exonération. Bénéficier de la *prestation spécifique dépendance* permet d'être exonéré, à compter de la date d'attribution de la prestation et de la date d'embauche des cotisations patronales d'assurance sociale, de la cotisation accidents du travail et des cotisations d'allocations familiales. Ces exonérations ne concernant que l'emploi direct d'une aide à domicile. Les autres cotisations (cotisations patronales ASSEDIC, cotisations patronales à la Caisse de retraite complémentaire, cotisations salariales de Sécurité sociale) restent dues.

Contrôle. Tout changement dans l'utilisation de la *prestation spécifique dépendance* doit être déclaré. La loi prévoit qu'un membre de l'équipe médico-sociale visite le bénéficiaire au moins une fois par an, afin de vérifier que la *prestation spécifique dépendance* est bien utilisée pour l'aider de la meilleure façon possible, son attribution faisant l'objet de révisions périodiques.

• *Comment varie le montant ?*

Le montant maximal de cette prestation est de 5 596 francs par mois (1997) mais varie selon deux critères. En fonction *du degré de dépendance :* ainsi une personne atteinte d'une dépendance légère et disposant de 5 500 francs de revenus par mois ne touche-t-elle pas la même prestation qu'une personne bénéficiant du même revenu, mais souffrant d'une dépendance plus lourde. Ensuite, en fonction *du revenu.* La prestation est dégressive, ce qui signifie que pour tout franc de revenu au-delà de 6 000 francs pour une personne seule et de 10 000 francs pour un couple, la prestation diminue de 1 franc. En fait, pour toucher 5 596 francs par mois, il ne faut pas que les revenus mensuels d'une personne seule excèdent 4 881 francs.

• *La suspension*

La loi prévoit un certain nombre de cas dans lesquels la *prestation spécifique dépendance* peut être suspendue. Parmi ceux-ci, indiquons l'hospitalisation dans un établissement de santé pour y recevoir des soins de courte durée. Si la prestation était utilisée pour rémunérer un salarié à domicile, la part de la prestation destinée à l'attribution du salarié est maintenue pendant les 30 premiers jours d'hospitalisation et la part de prestation, qui n'est pas utilisée à cette fin, est immédiatement suspendue. Si la prestation était destinée à rétribuer un service d'aide à domicile, elle est intégralement maintenue pendant les 15 premiers jours, dès lors que le service ne peut affecter son salarié à d'autres tâches, puis elle est suspendue. Enfin, si la *prestation spécifique dépendance* était servie à l'établissement d'hébergement, elle est maintenue pendant les 21 premiers jours d'hospitalisation, puis supprimée.

● *Le recours en récupération*

La *prestation spécifique dépendance* est soumise à récupération. Le recours en récupération peut s'exercer envers le demandeur revenu à une meilleure fortune ; le donataire pour toutes les donations intervenues après la décision d'attribution de la prestation ou dans les 10 ans qui ont précédé ; la succession (au décès du bénéficiaire, le conseil général peut se rembourser des sommes versées sur la part de l'actif successoral dépassant 300 000 francs et cela pour les dépenses excédant 5 000 francs). Notons que ce seuil s'applique aux successions mais pas aux donations dans lesquelles les possibilités de recours s'exercent à partir du premier franc.

● *Les modifications en cours*

Nous avons spécifié plus haut que la prestation peut être versée aussi bien aux personnes âgées, hébergées en maison de retraite avec section de cure médicale, qu'en unités de soins de longue durée. Mais ces dernières devraient disparaître avant le 31 décembre 1998. En fait, des changements importants sont en cours dans les établissements qui reçoivent des personnes âgées. A partir du 1er janvier 1999, ces établissements devront avoir passé une convention pluriannuelle avec le président du conseil général et avec l'assurance maladie. Cette convention comportera un cahier des charges et définira les conditions de fonctionnement de l'établissement aussi bien au plan financier qu'au plan de la qualité de prise en charge des personnes et des soins qui leur sont prodigués. La tarification sera fonction de l'état de santé de chaque résident.

Il faudra donc, à partir du 1ᵉʳ janvier 1999, vérifier qu'un centre est conventionné, avant de le choisir. Les établissements qui accueillent des personnes âgées doivent désormais élaborer un règlement intérieur. De plus, un contrat de séjour doit être signé entre l'institution et les résidents visant à mieux garantir leurs droits.

● *L'allocation compensatrice*

A qui est-elle destinée ? Avant la création de la *prestation spécifique dépendance,* un grand nombre de personnes âgées dépendantes bénéficiaient de l'allocation compensatrice pour recours à une tierce personne. Après un bref rappel concernant cette allocation compensatrice pour tierce personne, nous préciserons comment passer de cette allocation à la *prestation spécifique dépendance.*

L'allocation compensatrice a été instaurée par la loi n° 75-533 du 30 juin 1975 en faveur des personnes handicapées et constitue une prestation d'aide sociale. Elle a très souvent été attribuée aux personnes âgées en situation de dépendance, bien qu'elle n'ait pas été, à l'origine, prévue dans ce but. Elle s'adresse d'abord aux personnes reconnues handicapées à 80 % ou plus. Attribuée à partir de l'âge de 20 ans et jusqu'à 60 ans, il est possible de la prolonger au-delà, si le bénéficiaire ne jouit pas d'avantages vieillesse. Le pourcentage d'invalidité est déterminé par la COTOREP. Pour prétendre à l'allocation compensatrice pour tierce personne, le demandeur doit être dans un état qui nécessite l'aide effective d'une tierce personne pour les actes essentiels de la vie (se vêtir, se dévêtir, se lever, se coucher, manger, boire, faire des besoins naturels).

Cette allocation peut être accordée à un taux compris entre 40 et 80 % pour les personnes dont l'état nécessite l'aide d'une tierce personne, soit seulement pour un ou plusieurs actes essentiels de l'existence, soit pour la plupart de ces actes, sans que cela entraîne pour la ou les personnes qui lui apportent cette aide un manque à gagner appréciable, ni que cela justifie son admission dans un établissement d'hébergement.

Conditions d'attribution. Le plafond des ressources est identique à celui prévu pour l'allocation aux adultes handicapés (41 692 francs par an pour un célibataire, 83 384 francs pour un couple + 20 846 francs par enfant à charge). Le calcul des ressources tient compte de toutes les ressources personnelles du demandeur constituant son revenu fiscal net. En revanche, conformément au droit commun en matière d'aide sociale aux personnes handicapées, il n'est pas tenu compte de l'obligation alimentaire dans le calcul. C'est l'un des principaux avantages apportés par cette allocation, notamment par rapport à la *prestation spécifique dépendance*.

L'allocation compensatrice se cumule, s'il y a lieu, avec l'allocation aux adultes handicapés ou avec tout avantage de vieillesse ou d'invalidité, à l'exception des avantages analogues ayant le même objet que l'allocation compensatrice. Ainsi est exclue la majoration pour tierce personne versée par la Sécurité sociale. En revanche, le cumul avec tous les autres avantages, comme, par exemple, les rentes versées par les compagnies d'assurance, dans la mesure où elles ne sont pas imposables, est permis. Elle peut se cumuler avec l'aide ménagère versée au titre de l'aide sociale, mais pas avec celle allouée par un régime vieillesse.

Avantages. A la différence des recours prévus pour la *prestation spécifique dépendance*, le recours successoral ne joue pas lorsque les héritiers du bénéficiaire décédé sont le conjoint, ses enfants ou la personne qui a assuré de façon effective et constante la charge de la personne handicapée. Le second avantage spécifique n'est pas consenti en matière d'aide sociale aux personnes âgées, notamment dans le cadre de la *prestation spécifique dépendance*.

Renouvellement. Les personnes ayant bénéficié de l'allocation compensatrice pour tierce personne avant l'âge de 60 ans peuvent opter, lors de chaque renouvellement, soit pour le maintien de cette *allocation compensatrice tierce personne,* soit pour la *prestation spécifique dépendance.*

Celles qui ont bénéficié de l'*allocation compensatrice tierce personne* après 60 ans peuvent la conserver jusqu'à la date de renouvellement, car ensuite elles relèvent de la prestation spécifique dépendance. Deux mois avant la date butoir, le président du conseil général examine si elles peuvent bénéficier de la *prestation spécifique dépendance.* Notons également que pour toute personne ayant obtenu l'*allocation compensatrice tierce personne* après 60 ans et qui opte pour son maintien, l'aide sera désormais contrôlée dans les mêmes conditions que l'est la *prestation spécifique dépendance.*

● *Aides diverses*

• *L'aide financière pour les gardes à domicile*

A qui est-elle destinée ? Il s'agit d'une aide accordée par la Caisse nationale d'assurance vieillesse et destinée aux ressortissants à titre principal du régime général, titulaires d'une pension, d'une rente ou d'une allocation au titre de l'assurance vieillesse ou bien d'un avantage de reversion (55 ans).

Conditions d'attribution. Le plafond de ressources est fixé à 10 000 francs par mois pour une personne seule, 15 000 francs par mois pour un couple. Le trimestre précédant la prise en charge constitue la période de référence pour le calcul des ressources mensuelles. C'est l'ensemble des ressources qui est pris en compte incluant donc l'allocation compensatrice tierce personne, par exemple. Le quart du montant de l'impôt sur le revenu acquitté au titre de l'exercice fiscal précédent peut être déduit.

Constitution du dossier. Il convient de s'adresser à la Caisse nationale d'assurance vieillesse pour l'Ile-de-France ou aux caisses régionales pour les autres départements.

Montant de l'aide. Il représente 80 % de la dépense engagée, dans une limite de 3 600 francs par prise en charge, montant porté à 5 400 francs si les deux membres du couple ont besoin de l'intervention. Cette aide est allouée au bénéficiaire s'il emploie la garde ou s'il s'agit d'une association mandataire, ou bien à un prestataire de service conventionné. Sa durée est de 3 mois de date à date, renouvelable une fois. Par ailleurs, remarquons que certaines caisses complémentaires de retraite attribuent des aides financières pour des services d'aide au maintien à domicile.

● *L'aide sociale*

A qui est-elle destinée ? L'aide sociale est destinée à des personnes qui ne peuvent pourvoir à leur entretien ou aux soins qu'exige leur état en raison de ressources insuffisantes. Elle est allouée par le département.

- Principales formes

Parallèlement à la *prestation spécifique dépendance*, l'aide sociale apporte une contribution financière à différents niveaux : les frais d'hébergement en établissement de long séjour ou en maison de retraite agréée ; l'aide ménagère à domicile ; l'*allocation compensatrice tierce personne*.

- Procédure d'obtention pour les personnes vivant chez elles

Constitution du dossier. Quelles que soient les formes d'aide recherchées, il convient de déposer une demande auprès du centre communal d'action sociale du lieu de résidence ou à la mairie. Le dossier est ensuite examiné par la commission d'aide sociale. C'est le centre communal d'action sociale qui fait part de la décision à l'intéressé.

Le dossier à constituer comprend une lettre de demande émanant de l'intéressé ou de sa famille ; une fiche familiale d'état civil ; un certificat médical ; une copie du livret de famille ; une copie de la carte de Sécurité sociale ; une copie des pièces justifiant du loyer et des charges relatives à l'habitation ; une copie des pièces justifiant des ressources (retraite, pension, allocations diverses, salaires) ; une copie des pièces justifiant du patrimoine du foyer (biens immobiliers, biens mobiliers et épargne) ; une copie des pièces précisant le montant d'imposition ou un certificat de non-imposition ; les coordonnées des obligés alimentaires : conjoint, père, mère, enfants, gendres, belles-filles et petits-enfants.

En effet, d'une part, le calcul des ressources inclut l'aide alimentaire, c'est-à-dire la participation financière fixée par la commission d'aide sociale à laquelle sont tenus les débiteurs alimentaires ; d'autre part, l'aide sociale se réserve le droit de récupérer les sommes versées, en partie ou en totalité, pour certaines des aides apportées.

- Hébergement en institution : contribution de l'aide sociale

Les personnes n'ayant pas de ressources suffisantes pour assurer le paiement de leur hébergement en maison de retraite conventionnée par la DDASS, en maison de cure médicale ou en service de long séjour peuvent obtenir la prise en charge des frais d'hébergement sous conditions. Par ailleurs, des maisons de retraite privées et à but lucratif peuvent bénéficier de lits conventionnés avec l'aide sociale. Elles ont la possibilité de constituer un certain nombre de leurs lits en section de cure médicale bénéficiant d'un forfait soins relevant de la Sécurité sociale. Le coût de la journée est fixé par la direction départementale des affaires sanitaires et sociales. Le financement des maisons de cure médicale ou les services de long séjour repose sur un forfait soins pris en charge par la Sécurité sociale et un forfait d'hébergement à la charge du patient. Quant aux autres institutions, notamment privées, les prix de journée sont variables suivant la qualité des logements, de l'environnement et de la prise en charge. Bien entendu, les frais liés au suivi médical relève de la Sécurité sociale.

Conditions de ressources. Pour bénéficier du financement par l'aide sociale de l'hébergement en institution, il faut résider en France, être français ou étranger ressortissant d'un pays ayant passé une convention avec la France, et ne pas disposer de ressources suffisantes pour régler les frais d'hébergement dans un établissement agréé par l'aide sociale. Les ressources personnelles du demandeur et de son conjoint sont prises en compte. L'ensemble doit être affecté au remboursement des frais d'hébergement en institution, dans une limite de 90 %. Une somme qui ne peut être inférieure à 10 % du minimum vieillesse, soit 347 francs par mois pour une personne seule et 623 francs pour un couple, est laissée à disposition. Sont également prises en compte les ressources qui proviennent ou doivent provenir de l'obligation alimentaire à laquelle sont tenus le conjoint, les ascendants, enfants, gendres, belles-filles et petits-enfants. Cette participation financière est fixée par la commission d'aide sociale.

Enfin, il faut savoir qu'une hypothèque légale peut être requise par le préfet sur les biens immobiliers du demandeur pour garantir le remboursement de la créance. En effet, l'aide sociale est considérée comme subsidiaire par rapport aux créances alimentaires familiales, et la collectivité, qui a supporté les frais, peut récupérer la totalité de la somme sur la succession si l'actif successoral est supérieur à 300 000 francs.

Modifications en cours. A partir du 1er janvier 1999, des changements importants devraient intervenir pour les établissements. Il est prévu que ceux-ci passent une convention pluriannuelle avec le conseil général et l'assurance maladie, convention qui respectera un cahier des charges et définira les conditions de fonctionnement de l'établissement aussi bien au plan financier qu'en ce qui concerne la qualité de la prise en charge. La tarification devrait se faire en fonction de l'état de santé de chaque personne. En fait, il s'agirait d'une disparition des services et unités de soins de longue durée et des sections de cure médicale, au profit d'unités d'hébergement médicalisées qui pourraient dispenser des soins à la carte, en fonction de l'état de santé et de dépendance des personnes hébergées. Les prestations délivrées par les établissements d'hébergement relevant, du point de vue de leur coût, de quatre grands axes : le service hôtelier de base, le surcoût hôtelier lié à la dépendance (draps et changes pour les personnes incontinentes), les soins de base et relationnels (nursing) et les soins médicaux à visée thérapeutique. Trois types de financement seraient requis :

– les soins à visée thérapeutique relèveraient du forfait soins versé par l'assurance maladie ;

– la dépendance serait supportée par l'aide sociale départementale à travers la *prestation spécifique dépendance* en institutions et lorsque les ressources du bénéficiaire sont supérieures au plafond d'attribution, par la personne hébergée elle-même ; le surcoût hôtelier, lié à la dépendance et les soins relationnels entreraient dans ce cadre.

– enfin, le service hôtelier de base serait pris en charge par le tarif de l'hébergement.

• *L'aide au logement*

- Aide personnalisée au logement

Les caisses d'allocations familiales attribuent, en fonction des ressources de la personne âgée, une aide à l'hébergement : au 31 décembre 1994, plus de 130 000 personnes en bénéficiaient pour une somme de 5,3 milliards de francs.

La personne invalide est le bénéficiaire. Il s'agit d'une allocation à caractère social. Outre les conditions de ressources, il faut que le logement soit la résidence principale et réponde à des conditions de salubrité et de peuplement. Remarquons que cette allocation peut être attribuée aux personnes logées en maison de retraite, foyer-logement ou long séjour. L'allocation est révisable chaque année. Son montant est fixé par la caisse d'allocations familiales en tenant compte des ressources perçues par l'allocataire, des dépenses engagées au titre du logement, des conditions familiales et du nombre de personnes à charge.

La personne âgée est aidée ou à la charge de son entourage. Il s'agit d'une allocation à caractère familial, dont les bénéficiaires sont ceux qui aident la personne âgée. Cette allocation peut être attribuée aux personnes percevant déjà une prestation familiale ou aux personnes et couples ayant à leur foyer et à leur charge un ascendant de plus de 65 ans ou un ascendant ou collatéral infirme ou invalide à 80 %, reconnu inapte au travail par la COTOREP. Le montant de cette prestation à caractère familial est fonction des ressources, de la composition de la famille, du loyer et de la superficie de l'appartement.

- Primes et subventions

Par ailleurs, des primes et subventions pour l'aménagement de l'habitat peuvent être obtenues auprès de différentes institutions : collectivités locales (commune, conseil général, conseil régional), Etat, Caisse nationale d'assurance vieillesse des travailleurs salariés, caisses de retraite complémentaire, caisses d'allocations familiales. Elles ont pour but de maintenir les personnes dépendantes dans leur cadre de vie, en leur permettant de faire face à une autonomie réduite.

En 1993, près de 19 000 personnes ont bénéficié de ces aides spécifiques.

Les financements sont attribués soit directement à la personne âgée, soit à des associations qui gèrent les travaux, associations regroupées au sein de la fédération nationale de protection, amélioration, conservation et transformation de l'habitat (mouvement PACT-ARIM pour l'amélioration de l'habitat). Outre l'étude de dossiers permettant d'obtenir des subventions, les associations regroupées au sein du mouvement PACT-ARIM offrent un certain nombre de prestations. Ainsi, par exemple, la possibilité de diagnostic-accessibilité (gratuit pour les personnes) comportant une visite sur place, une analyse des difficultés, une proposition de diverses possibilités d'adaptation, une estimation des travaux et un plan de financement prévisionnel. Ces associations se proposent également d'offrir une assistance administrative et une maîtrise d'œuvre partielle si la personne souhaite engager des travaux. Par exemple, elles élaborent le descriptif détaillé des travaux à effectuer, recherchent les aides pécuniaires et suivent les règlements financiers.

Dans certains départements, ces associations ont participé, avec des mutuelles et en partenariat avec les HLM et le conseil général, par exemple, à la mise en place d'unités de vie, notamment des CANTOU (Centre d'animation naturelle et d'occupation utile), recevant 12 à 15 personnes.

Autre exemple, le programme SEPIA, auquel collaborent les ministères du Logement et des Affaires sociales, permet de mener des opérations de réhabilitation ou de création de structures d'hébergement pour personnes âgées, en associant des professionnels de l'habitat, des membres des secteurs sanitaires et sociaux, et des gestionnaires.

• *La carte d'invalidité*

Attributions. Elle est attribuée à toute personne dont le taux d'incapacité est égal ou supérieur à 80 %. Pour l'obtenir, il faut en faire la demande à la COTOREP en fournissant un certificat médical, une fiche individuelle d'état civil et deux photos d'identité. Le délai d'attribution de la carte est en général de 2 à 6 mois. Toutefois, ses avantages sont rétroactifs à partir de la date du dépôt de la demande (on peut donc l'inscrire, par exemple, sur la déclaration de revenus, à la rubrique Carte d'invalidité : demande en cours).

Avantages. La carte d'invalidité procure essentiellement des avantages fiscaux : augmentation d'une demi-part supplémentaire du quotient familial pour le calcul de l'impôt sur le revenu ; déductions et abattements fiscaux en fonction des revenus imposables ; exonération de la taxe d'habitation et de la taxe foncière pour les invalides non imposés sur le revenu, que la personne titulaire de la carte vive seule ou bien qu'elle partage son logement avec un conjoint ou avec des personnes fiscalement à charge ; exonération de la redevance télévisuelle (uniquement pour les invalides à 100 % qui ne sont pas imposables sur le revenu) ; exonération de la vignette automobile dans le cas où la mention est apposée sur la carte (peuvent en bénéficier la personne elle-même ou son conjoint, ou les personnes qui la recueillent et qui l'ont en charge au point de vue fiscal).

Il existe également des avantages sur les transports, notamment à la SNCF : place réservée ; réduction de 50 % pour l'accompagnateur ; bénéfice d'un titre de transport gratuit sur toutes les lignes de la SNCF en cas de nécessité d'une tierce personne.

• *La couverture sociale des tierces personnes*

Déclarations auprès de la Sécurité sociale. La tierce personne, qu'elle soit un membre bénévole de la famille ou qu'elle soit salariée (employé de maison, aide à domicile), a droit à une couverture sociale. Elle peut valider les trimestres de services auprès du malade, ce qui lui permet de majorer le montant de sa pension vieillesse Sécurité sociale.

Soit la tierce personne est salariée, dans ce cas elle est inscrite automatiquement ; soit elle est bénévole, et doit alors faire une demande volontaire qui s'effectue par courrier auprès de la Caisse primaire d'assurance maladie dont elle relève, dans un délai de 2 ans à compter du début de son activité auprès du

malade. En plus du courrier explicitant la demande, il est nécessaire de fournir une fiche d'état civil du demandeur ; une
fiche d'état civil du malade ; un certificat médical précisant l'invalidité ou la dépendance de la personne âgée ; un certificat
médical précisant que le demandeur exerce la fonction de tierce
personne auprès du malade. Les cotisations sont versées tri-
mestriellement sur une base forfaitaire.

● *Déductions fiscales*

• *L'exonération d'impôts sur le revenu*

L'impôt sur le revenu. Deux cas se présentent :
a) Réduction d'impôt pour l'emploi d'un salarié à domicile.
   Il est possible de bénéficier d'une réduction d'impôt dans
le cas d'une aide à domicile ou d'une assistante de vie permettant le maintien des personnes âgées ou handicapées à leur
domicile. Il peut s'agir d'un salarié directement employé ou
d'un recours aux services d'associations ou d'entreprises
agréées par l'Etat (associations ou entreprises de services aux
personnes, associations intermédiaires pour le développement
de l'emploi), ou encore d'organismes habilités (centres communaux d'action sociale et associations d'aide à domicile
conventionnées). Cette réduction est égale à 50 % du montant
des dépenses effectuées : salaires nets payés et cotisations
sociales correspondantes, ou sommes facturées par l'association, l'entreprise agréée ou l'organisme habilité, après déduc-
tion éventuelle des allocations, aides ou indemnités qui ont été
versées pour supporter les frais d'emploi d'un salarié à domicile. Le plafond des dépenses ouvrant droit à la réduction d'impôt est de 45 000 francs. Il atteint 90 000 francs lorsque la
personne imposable ou l'un des membres du foyer fiscal vivant
sous son toit est invalide à 80 %.
   Pour bénéficier de cette réduction d'impôt, il faut joindre à
la déclaration de revenus l'attestation annuelle délivrée par

l'URSSAF, la mutualité sociale agricole, l'association ou l'entreprise agréée ou bien l'organisme habilité d'aide à domicile. Si le salarié a été rémunéré avec un chèque emploi-service, il faut alors joindre l'attestation délivrée par le Centre national de traitement du chèque emploi-service.

b) Réduction d'impôt en cas d'hébergement dans un établissement de long séjour ou une section de cure médicale.

Elle concerne les personnes de plus de 70 ans qui se trouvent, en raison de leur état de santé, dans un établissement de long séjour ou une section de cure médicale (à l'exclusion des cures thermales). Ainsi, les dépenses d'hébergement (frais de logement, repas, entretien) ouvrent droit à une réduction d'impôt qui est accordée, quelle que soit la situation de famille. Les dépenses engagées peuvent être prises en compte dans une limite de 13 000 francs par foyer. Cette réduction d'impôt peut se cumuler avec celle liée à l'emploi d'un salarié à domicile lorsque, dans un couple marié, l'un des conjoints est hébergé dans un établissement de long séjour tandis que l'autre, resté au domicile, a recours aux services d'un salarié pour la réalisation de tâches à caractère familial ou ménager.

Les personnes disposant de ressources faibles, et qui consacrent presque la totalité de leur revenu au paiement de frais de séjour en maison de retraite, ont la possibilité d'obtenir d'autres remises ou modérations des impôts sur le revenu.

Autres déductions. D'autres déductions sont possibles dans les situations où une personne de plus de 75 ans est hébergée, où des dépenses en vue d'adapter ou de rendre accessible un logement sont engagées, où un ascendant disposant de ressources faibles est logé ou reçoit une pension alimentaire (on peut alors déduire les frais au titre de l'obligation alimentaire en nature ou en espèces).

Modification du quotient familial. Les situations suivantes donnent droit à bénéficier d'une demi-part supplémentaire : être titulaire d'un avantage accident du travail d'au moins 40 %; être

pensionné militaire avec un taux d'invalidité d'au moins 40 % ;
veuve titulaire d'une pension au titre du Code des pensions militaires ou d'invalidité ; être titulaire d'une carte d'invalidité.
Il faut noter que, si, dans un couple, les deux conjoints ont droit chacun à une demi-part, celles-ci se cumulent pour former une part supplémentaire, mais que, pour un même contribuable, les demi-parts ne se cumulent pas.
Un certain nombre d'abattements d'impôt supplémentaires existent et sont fonction des ressources. Il convient de se renseigner auprès du centre des impôts dont on dépend.

Prestations et allocations non imposables. Citons les indemnités jounalières dans le cadre d'une allocation d'invalidité ; les indemnités journalières et rentes accidents du travail ; l'allocation aux adultes handicapés ; la *prestation spécifique dépendance ;* l'allocation compensatrice et les autres allocations d'aide sociale ; les prestations familiales.

• *La taxe d'habitation*

– Un abattement peut être obtenu sur la base de la taxe d'habitation des enfants si un ascendant infirme ou âgé de plus de 70 ans et non imposable sur le revenu vit avec eux. Le montant de cet abattement est de 10 % pour chacune des deux premières personnes à la charge du contribuable et de 15 % pour les personnes suivantes.

– Un dégrèvement total est accordé aux veufs et aux veuves, quel que soit leur âge ; aux personnes âgées de plus de 60 ans ; au contribuable ou à son conjoint atteint d'une invalidité l'empêchant de subvenir à ses besoins ; aux titulaires de l'allocation adulte handicapé ; aux titulaires de l'allocation supplémentaire du Fonds national de solidarité.

Pour obtenir ce dégrèvement total, deux conditions doivent être remplies : ne pas être imposable sur le revenu ou devoir payer une somme inférieure au seuil de mise en recouvrement (400 francs) ; loger dans son habitation principale seul ou avec

son conjoint, des personnes comptées à charge pour le calcul de l'impôt sur le revenu, des personnes non imposables sur le revenu, des personnes titulaires du Fonds national de solidarité.
– Un dégrèvement partiel peut être obtenu en fonction du montant des impôts.

• *La taxe foncière*

Le dégrèvement de la taxe foncière peut être obtenu par les titulaires de l'allocation supplémentaire du fonds national de solidarité, les titulaires de l'allocation aux adultes handicapés, les contribuables âgés de plus de 75 ans qui répondent aux deux conditions suivantes :
– ils occupent leur habitation principale seuls ou avec leur conjoint, des personnes comptées à charge pour le calcul de l'impôt sur le revenu, des personnes non imposables sur le revenu, des personnes titulaires du Fonds national de solidarité ;
– ils ne sont pas imposables sur le revenu ou ne paient pas d'impôt parce que le montant de leur impôt est inférieur au seuil de mise en recouvrement (400 francs).

• *La redevance télévisuelle*

Un certain nombre de situations permettent de demander une exonération auprès des services régionaux de redevance télévisuelle :
– être invalide ou mutilé civil ou militaire et remplir les trois conditions suivantes : souffrir d'une incapacité empêchant de subvenir à ses besoins (invalidité à 80 %, allocation aux adultes handicapés, etc.) ; ne pas être imposable sur le revenu ; vivre seul ou avec un conjoint ou avec une personne chargée des soins, et éventuellement avec des personnes non imposables.
– les personnes âgées de plus de 65 ans et remplissant les deux conditions suivantes : vivre seules ou avec leur conjoint et éventuellement avec des personnes non imposables ; ne pas payer d'impôt sur le revenu.

• *La vignette automobile*

Après une demande déposée à la recette des impôts du domicile de l'intéressé, il est possible pour certaines personnes d'être exonérées de la vignette automobile : les handicapés titulaires de la carte d'invalidité portant la mention ; le conjoint de l'invalide ou toute personne l'ayant recueilli et qui en a la charge du point de vue fiscal ; les invalides militaires ou victimes de guerre (pour un degré d'invalidité de 85 % ou plus) ; les infirmes mentaux justifiant de l'aide d'une tierce personne dans leurs déplacements et titulaires de la carte d'invalidité portant la mention.

• *Les droits de succession et de donation*

Un héritier souffrant d'une infirmité physique ou mentale, congénitale ou acquise, et qui est de ce fait incapable de travailler dans des conditions normales de rentabilité, a droit à un abattement spécial de 300 000 francs.

• *Les exonérations des cotisations patronales de Sécurité sociale pour l'emploi d'une aide à domicile*

Bénéficiaires. Afin d'obtenir cette exonération des cotisations patronales de Sécurité sociale pour l'emploi d'une aide à domicile, il faut remplir les conditions suivantes :
– vivre seul et se trouver dans l'obligation de recourir à l'assistance d'une tierce personne pour accomplir les actes ordinaires de la vie ;
– être âgé de 70 ans ou plus, vivre seul ou avec son conjoint (l'un des deux ayant plus de 70 ans), indépendamment ou chez un membre de la famille ;
– et, de plus, être titulaire d'un avantage vieillesse ; d'une pension d'invalidité (en ayant plus de 60 ans) ; de l'allocation compensatrice ; d'une majoration tierce personne ; d'une pension d'invalide militaire (au-delà de 60 ans).

172 La maladie d'Alzheimer

172 *La maladie d'Alzheimer*

Les bénéficiaires de la *prestation spécifique dépendance* sont exonérés, à compter de la date d'attribution de la prestation et de la date d'embauche, des cotisations patronales d'assurance sociale, de la cotisation accidents du travail et des cotisations d'allocations familiales, pour l'emploi direct d'une aide à domicile.

Modalités de la demande. Un courrier accompagné de justificatifs (fiche d'état civil pour les personnes concernées, photocopies des notifications de retraite, pension ou allocations reçues et certificat médical attestant la nécessité d'une tierce personne pour accomplir les actes ordinaires de la vie) doit être adressé à l'URSSAF qui rend sa décision dans les 30 jours qui suivent son dépôt.

En revanche, cette exonération de cotisations patronales de Sécurité sociale ne dispense pas l'employeur du paiement des cotisations salariales de Sécurité sociale à l'URSSAF, ni des versements IRCEM et ASSEDIC.

La maladie d'Alzheimer et les troubles apparentés donnent droit à une prise en charge à 100 % par la Sécurité sociale dans le cadre des affections de longue durée ; cette prise en charge couvre les frais médicaux et pharmaceutiques, les soins et les examens.

Une *prestation spécifique dépendance*, attribuée aux personnes âgées de plus de 60 ans qui se trouvent en situation de dépendance, a été instaurée en 1997. Cette prestation, qui peut être accordée aux personnes âgées vivant à leur domicile ou chez un membre de leur famille, ou aux personnes placées en établissement d'hébergement, se substitue désormais à *l'allocation compensatrice* pour recours à une tierce personne dont bénéficiaient jusqu'à présent un grand nombre de personnes âgées dépendantes.

D'autres modalités d'aides financières, sanitaires et sociales sont également proposées : aide financière pour les gardes à domicile – aide sociale – aide au logement – carte d'invalidité – avantages en termes de couverture sociale des tierces personnes. Enfin, des déductions fiscales sont possibles : exonérations et réductions de charges concernant l'impôt sur le revenu – la taxe d'habitation – la taxe foncière – la redevance télévisuelle – la vignette automobile – les droits de succession et de donation – les cotisations patronales de Sécurité sociale pour l'emploi d'une aide à domicile.

Mesures de protection juridique

La loi protège les personnes dont les facultés mentales sont altérées par une maladie, une infirmité ou un affaiblissement dû à l'âge, et prévoit que le logement et l'environnement de celles-ci doivent être protégés en priorité. Ainsi les souvenirs et autres objets de caractère personnel doivent-ils, par exemple, être gardés à disposition de la personne protégée, le cas échéant par les soins de l'établissement de traitement. Il existe en France trois régimes de protection prévus par la loi : la sauvegarde de justice, la curatelle et la tutelle. (Code civil, articles 488 à 514 inclus ; loi du 3 janvier 1968.)

● *La sauvegarde de justice*

C'est le régime de protection le plus « léger ». Il s'agit d'une mesure provisoire qui peut être mise en route à partir d'une déclaration médicale ou sur décision du juge des tutelles en attendant une curatelle ou une tutelle. Lorsque la sauvegarde de justice résulte d'une déclaration médicale, la durée de la protection est de 2 mois (éventuellement renouvelable pour 6 mois). Lorsqu'elle résulte d'une décision judiciaire, sa durée sera celle de l'instance d'ouverture de la curatelle ou de la tutelle, soit un maximum d'un an. Dans le cas d'une sauvegarde de justice, les droits civils et civiques sont maintenus. En revanche, elle offre la possibilité de réviser des actes juridiques dans l'intérêt de la personne malade. Un mandataire est nommé pour gérer ses biens.

● *La curatelle*

Il s'agit d'une mesure de protection intermédiaire entre la sauvegarde de justice et la tutelle. Elle est destinée à des personnes hors d'état d'agir par elles-mêmes, qui ont besoin d'être conseillées ou contrôlées dans les actes de la vie civile.

La personne sous curatelle reste autonome pour les actes conservatoires d'administration de son patrimoine, mais tous les actes qu'elle peut effectuer seule peuvent être revus ou annulés s'il est prouvé que ses facultés mentales étaient altérées au moment de l'acte. Elle dépend de son curateur pour les actes de disposition ou pour l'emploi de capitaux importants. Si le curateur refuse son accord, elle peut alors demander au juge de trancher. D'autre part, elle garde son droit de vote, mais n'est pas éligible. Il peut y avoir annulation d'un acte de disposition que la personne protégée aurait effectué sans l'accord de son curateur.

Le contrat de mariage et le mariage d'une personne sous curatelle ne sont possibles qu'après consentement du curateur ou du juge. En cas de divorce, elle est également assistée de son curateur. Le Code civil ne comporte pas de dispositions particulières par rapport à la reconnaissance d'un enfant naturel, et la jurisprudence admet la validité de cette reconnaissance, demandée par une personne sous curatelle, à condition qu'elle ait été réalisée lors d'un intervalle lucide. Enfin, il est précisé que la personne sous curatelle peut librement faire son testament ou prendre des dispositions testamentaires, sauf conditions particulières. Un certificat médical ou la signature du curateur peuvent être recherchés. En revanche, elle ne peut faire de donation qu'avec l'assistance de son curateur. Enfin, le curateur est, par principe, selon la loi, le conjoint de la personne protégée, sauf décision contraire du juge.

● *La tutelle*

La tutelle civile est le régime de protection le plus complet. Elle s'adresse à des personnes dont les facultés psychiques sont altérées au point de leur enlever leur lucidité et leur aptitude à gérer leurs biens, ou à celles dont l'altération des facultés corporelles empêche l'expression de leur volonté. Il s'agit donc de personnes qui ont besoin d'être représentées de façon continue dans les actes de la vie civile.

Décision. L'ouverture de la tutelle est prononcée par le juge des tutelles à la requête de la personne qu'il y a lieu de protéger, de son conjoint, de ses ascendants, de ses descendants, de ses frères et sœurs notamment. Dans tous les cas, une étape d'évaluation médicale est indispensable à la procédure. Cette évaluation sera réalisée par un médecin spécialiste figurant sur une liste établie par le procureur de la République. En plus de l'expertise médicale, un certain nombre d'éléments complémentaires peuvent être requis par le juge : enquête sociale, audition de la personne à protéger, de la famille ou de tout tiers sachant, car le juge de tutelle a la possibilité de convoquer quiconque est susceptible de lui apporter un avis éclairé. Si son état est incompatible avec une telle audition, le juge peut décider de ne pas la provoquer, à condition de disposer d'un certificat médical motivé en ce sens. Après l'audience de jugement, la décision judiciaire est notifiée aux requérants et à la personne protégée. Si l'état de cette dernière n'est pas compatible avec une telle révélation, le juge pourra ne pas lui notifier sa décision, mais la réserver au conseil de la personne, par exemple un avocat, ainsi qu'à la personne la plus qualifiée pour la recevoir parmi celles qui avaient qualité pour demander l'ouverture de la tutelle, à savoir le conjoint, un ascendant, un descendant, un frère ou une sœur. Un recours est possible devant le tribunal de grande instance par toute personne ayant le droit de déposer la requête ou de donner l'avis justifiant l'ouverture de la tutelle.

La tutelle peut être exercée par une personne, le tuteur, membre de la famille ou extérieur à la famille (liste de tuteurs agréés) ou bien par des associations tutélaires. Ces associations sont soit des associations exclusivement consacrées à ces différentes formes d'assistance, soit des associations polyvalentes disposant d'une section spécialisée. Elles agissent par l'intermédiaire de « délégués à la tutelle », souvent recrutés dans le corps des assistants sociaux.

Il existe différentes formes de tutelle qui sont ordonnées par le magistrat en fonction de l'état clinique de la personne, de sa situation familiale, de ses ressources. De manière très générale, la tutelle a pour effet de faire perdre à une personne ses droits civiques, c'est-à-dire qu'elle ne peut voter, être jurée, être élue, être tuteur, ou faire partie d'un conseil de famille. De même est prescrite une incapacité totale sur presque tous ses droits civils y compris le mariage, la donation, le testament… Le testament est nul s'il a été rédigé après le jugement de tutelle. S'il a été rédigé antérieurement, il est valable sauf si la cause qui avait déterminé la personne à disposer a disparu depuis que la tutelle a été ouverte. Il y a annulation possible des actes antérieurs au jugement de tutelle et bien sûr nullité de droit des actes postérieurs, dans l'intérêt de la personne protégée.

Il est fait mention de la tutelle au niveau du répertoire civil. Le sigle RC (répertoire civil), suivi d'un numéro, est apposé en marge de l'acte de naissance de la personne. Ainsi, pour tout acte notarié important réclamant la communication d'un extrait d'acte de naissance, daté de moins de deux mois, le notaire est informé de l'existence d'une mesure de protection et contacte donc le tuteur pour avis.

Comme pour la curatelle, la cessation d'une mesure de tutelle dépend du juge qui peut ordonner une mainlevée.

Dans tous les cas, il importe d'expliquer au mieux à la personne protégée le but de la mesure de protection et de rechercher son accord, quelle que soit celle qui est amenée à en faire la demande, membre de son entourage ou médecin. En effet, il serait tout à fait préjudiciable qu'une telle mesure soit ressentie comme une privation, une dépossession, ou une persécution. En revanche, il importe de ne pas priver des avantages qu'elle peut apporter à une personne qui se trouve en difficulté du fait de l'altération de ses facultés. De plus, une telle mesure de protection permet souvent de débloquer des situations délicates.

La loi protège les personnes dont les facultés mentales sont altérées par une maladie, une infirmité ou un affaiblissement dû à l'âge. Trois régimes de protection existent en France :
– La sauvegarde de justice provisoire, qui maintient les droits civils et civiques, mais offre la possibilité de réviser les actes juridiques dans l'intérêt de la personne protégée.
– La curatelle, qui est une mesure de protection intermédiaire entre la sauvegarde de justice et la tutelle, destinée à des personnes hors d'état d'agir par elles-mêmes, qui ont besoin d'être conseillées ou contrôlées dans les actes de la vie civile. La personne sous curatelle est autonome pour les actes conservatoires d'administration de son patrimoine ; elle peut, par exemple, rédiger librement un testament, mais ne peut faire de donation qu'avec l'assistance de son curateur.
– La tutelle civile est le régime de protection le plus complet. Elle s'adresse à des personnes dont les facultés psychiques sont altérées au point de leur enlever leur lucidité et leur aptitude à gérer leurs biens, ou à celles dont l'altération des facultés corporelles empêche l'expression de leur volonté, c'est-à-dire qui ont besoin d'être représentées de façon continue dans les actes de la vie civile. D'une manière générale, la tutelle a pour effet de faire perdre à une personne ses droits civiques et la presque totalité de ses droits civils, y compris ceux qui concernent le mariage, la donation et le testament pour lesquels l'accord du tuteur est indispensable.

Adresses utiles

Nous avons regroupé ici, de manière non exhaustive, les adresses de quelques structures associatives ou autres ayant pour vocation d'aider les malades ou leurs familles, d'informer ou de promouvoir des actions de recherche et de formation. Pour des raisons pratiques, nous nous sommes limités à signaler l'adresse et le numéro de téléphone de leur siège social. Nombre d'entre elles ont des antennes en province dont les coordonnées peuvent être obtenues à l'adresse que nous avons indiquée.

Aide à domicile en milieu rural (ADMR)
184, rue du Faubourg-Saint-Denis 75010 Paris.
Tél. : 01 44 65 55 55.

Assistance à domicile (ASSIDOM)
5, rue Louis-Xavier-de-Ricard 94120 Fontenay-sous-Bois.
Tél. : 01 48 75 00 26.

Association des familles de personnes âgées intellectuellement dépendantes (AFIPADI)
3, allée du Hameau-Blanc 38240 Meylan. Tél. : 04 76 41 89 66.

Association des paralysés de France (APE)
Service Ergothérapie : 17, boulevard Auguste-Blanqui
75013 Paris. Tél. : 01 40 78 69 00.

Association France Alzheimer
21, boulevard Montmartre 75002 Paris. Tél. : 01 42 97 52 41.
Association Broca familles
54-56, rue Pascal 75013 Paris. Tél. : 01 44 08 30 00.

Atmosphère
250, boulevard Raspail 75014 Paris. Tél. : 01 43 22 79 77.

Centre de liaison, d'étude, d'information et de recherche sur les problèmes des personnes âgées (CLEIRPPA)
23, rue Ganeron 75018 Paris. Tél. : 01 53 42 13 60.

Centre national français pour la liaison la réadaptation des handicapés (CNFLRH)
236, rue de Tolbiac 75013 Paris. Tél. : 01 53 80 66 66.

Centre du volontariat
130, rue des Poissonniers 75018 Paris. Tél. : 01 42 64 97 34.

Espace 3e Age
83, boulevard Saint-Marcel 75013 Paris. Tél. : 01 43 36 99 77.

Famille rurale
7, cité d'Antin 75009 Paris. Tél. : 01 44 91 88 88.

Fédération nationale des associations d'aide à domicile aux retraités (FNADAR)
103, boulevard Magenta 75010 Paris. Tél. : 01 42 85 27 14.

Fédération nationale des associations familiales rurales (FNAFR)
81, avenue Raymond-Poincarré 75116 Paris.
Tél. : 01 47 04 94 63.

Fédérations nationale d'aide familiale à domicile (FNAFAD)
13, rue des Envierges 75020 Paris. Tél. : 01 43 15 12 12.

Fédérations nationale des centres Pact-Arim (Amélioration de l'habitat)
27, rue de la Rochefoucauld 75009 Paris. Tél. : 01 42 81 92 66.

Fondation Ipsen
24, rue Erlanger 75781 Paris Cedex 16. Tél. : 01 44 96 10 10.

Groupe d'étude et de recherche sur la démence sénile de la fondation nationale de gérontologie (FNG)
49, rue Mirabeau 75016 Paris. Tél. : 01 45 25 92 80.

Institut de recherche et de prévention du vieillissement cérébral CÉRÉBRAL (IRPVC)
Hôpital de Bicêtre 78, rue du Général-Leclerc
94270 Le Kremlin-Bicêtre. Tél. : 01 45 21 21 21.

La Maison Elensis
Tél. : numéro vert 05 42 36 96.

Les Petits Frères des pauvres
Association nationale de bénévoles consacrée aux personnes âgées
33, avenue Parmentier 75011 Paris. Tél. : 01 49 23 13 00.

Télé entraide région parisienne personnes âgées (TERPA).
8, rue Flatters 75005 Paris. Tél. : 01 43 37 47 21.

Unnion nationale des associations de soins et services à domicile (UNASSAD)
108-110, rue Saint-Maur 75011 Paris. Tél. : 01 49 23 82.52.

Union nationale interfédérale des œuvres et organismes privés sanitaires et sociaux
133, rue Saint-Maur 75011 Paris. Tél. : 01 53 36 35 00.

Union nationale des amis et familles de malades mentaux (UNAFAM)
8, rue Montyon 75009 Paris. Tél. : 01 47 70 11 98.

Bibliographie

C. Dérouesné, *La Maladie d'Alzheimer*, L'Esprit du Temps, 1994.

F. Eustache, A. Agniel, *Neuropsychologie des démences : évaluation et prises en charge*, Solal, Marseille, 1995.

O. Guard, B. Michel (sous la direction de), *La Maladie d'Alzheimer*, Medsi/McGraw Hill, Paris, 1989.

M. Habib, Y. Joanette, M. Puel (sous la direction de), *Démences et syndromes démentiels. Approche neuropsychologique*, Masson, Paris, Milan, Barcelone, Bonn, 1991.

J.J. Hauw, B. Dubois, M. Verny, C. Duyckaerts, *La Maladie d'Alzheimer*, John Libbey Euro Texte, Paris 1997.

C. Hérisson, J. Touchon, M. Enjalbert, *Maladie d'Alzheimer et médecine de réadaptation*, Rencontres en rééducation n° 11, Masson, Paris, 1996.

J.M. Léger, J.F. Tessier, M.D. Mouty, *Psychopathologie du vieillissement*, Doin, Paris, 1989.

M.N. Magnié, P. Thomas, *Maladie d'Alzheimer*, Masson, Paris, Milan, Barcelone, 1997.

B. Michel, B. Soumireu-Mourat, B. Dubois, *Système limbique et maladie d'Alzheimer*, Solal, Marseille, 1996.

M. Poncet, B. Michel, A. Nieoullon eds, *Actualités sur la maladie d'Alzheimer et les syndromes apparentés*. Solal, Marseille, 1994.

J.L. Signoret, J.J. Hauw (sous la direction de), *Maladie d'Alzheimer et autres démences*, Flammarion, Paris, 1991.

Brochures
Maladie d'Alzheimer : Fondation IPSEN, Paris.
Pour les aider : Fondation IPSEN, Paris.
Guide Conseil : Laboratoire Parke Davis, Paris

Table des illustrations

Figure 1 : « Les Femmes » : Exemple de simplification de l'écriture, l'orthographe est erronée, mais phonologiquement correcte.

Figure 2 : « Les enfants font de la bicyclette » : Exemple d'écriture en voie de déstructuration.

Figure 3 : Perte de la représentation de la troisième dimension, 1re anomalie du dessin constatée chez un patient souffrant de maladie d'Alzheimer. La consigne donnée au patient est de recopier le modèle.

Figure 4 : Erreurs dans la reproduction d'une figure en deux dimensions. Même consigne.

Figure 5 : Schéma d'une coupe transversale du cerveau montrant les deux hémisphères cérébraux. D'après Arnaud-Castiglioni *et al. La mémoire qui flanche*. Solal, Marseille, 1995.

Figure 6 : Représentation schématique d'un neurone. D'après Arnaud-Castiglioni *et al. La mémoire qui flanche*. Solal, Marseille, 1995.

Tableau 1 : Classification des démences.

Tableau 2 : Enquête Paquid, 1992. Incidence (nombre de nouveaux cas de la maladie survenant tous les ans) de la démence en Gironde et estimation pour la France métropolitaine. D'après Dartigues J.F., Orgogozo J.M., Letenneur L., Barberger-Gateau P. Bases épidémiologiques françaises pour le traitement des syndromes démentiels et la détérioration intellectuelle du sujet âgé. *Thérapie*, 1996, 48, p. 185-187.

Tableau 3 : Echelle d'auto-évaluation de Mc.Nair à 37 items. D'après Mc.Nair D.M., Kahhn R.J. Self-assessment of cognitive deficits. In *Assessments in geriatric psychopharmacology*. T. Crook, S. Ferris and R. Bartus, Eds, 1984, Mark Powley, New Canaan. (Conn.)
Dérouesné C., Dealberto M.J., Boyer P. et al. Empirical evaluation of the « Cognitive Difficulties Scale » for assessment of memory complaints in general practive : a study of cognitively normal subjects aged 45-75 years. *Int. J Geriatric Psychiatry*, 1993, 8, p. 599-607.

Tableau 4 : IADL (Instrumental activities of daily living). Echelles d'activités quotidiennes déterminées par l'entourage soignant.
D'après M. Lawton, Brody E. Assessment of older people : Self maintening and instrumental activities of daily living. *Gerontology*, 1969, 9, p. 179-186.
P. Baberberger-Gateau, Commenges D., Gagnon M. ; et al. Instrumental activities of daily living as a screening tool for cognitive impairment and dementia in elderly community dwellers. *J. Am. Geriatric. Soc.*, 1992, 40, p. 1129-1134.
P. Baberger-Gateau, Dartigues J.F., Letenneur L. Four instrumental activities of daily living score as a predictor of one-year incident dementia. *Age and Ageing*, 1993, 22, p. 457-463.

Tableau 5 : Tableau comparatif entre pseudo-démence et démence.
D'après Wells CE. Pseudo dementia, *American Journal of Psychiatry*, 1979, 136, p. 895-900.

Tableau 6 : Complications possibles chez les patients qui souffrent de la maladie d'Alzheimer. D'après *La Maladie d'Alzheimer*, Parke-Davis, Paris, 1994.

Tableau 7 : Etude tomoscintigraphique de la perfusion cérébrale au 99mTc-HMPAO (Ceterec*). Coupe transversale. (Dr Mestas, service de médecine nucléaire, cente Jean-Perrin, Clermont-Ferrand).

Tableau 8 : Critères du DSM-IV pour une démence de type Alzheimer. D'après American Psychiatric Association. *Mini DSM-IV. Critères diagnostiques* (Washington DC, 1994). traduction française par J.D. Guelfi *et al.*, Masson, Paris, 1996.

Tableau 9 : Etude comparative du type de prise en charge et des coûts pour des patients souffrant de maladie d'Alzheimer. D'après le Rapport CEMKA, enquête Paquid, 1992, cité in *La Maladie D'Alzheimer*, Parke Davis, 1994.

Tableau 10 : La grille AGGIR (autonomie, Gérontologie, groupes Iso-Ressources). *Journal officiel de la République française* du 30 avril 1997.

Tableau 11 : La grille AGGIR
(Autonomie, Gérontologie, Groupes Iso-Ressources)
Les 6 groupes d'iso-ressources et les 3 modalités d'évaluation de chaque variable.

Tableau 12 : La prestation spécifique dépendance (grille AGGIR).

Cet ouvrage a été composé par
I.G.S. - Charente Photogravure à L'Isle-d'Espagnac (16)

www.ingramcontent.com/pod-product-compliance
Lightning Source LLC
Chambersburg PA
CBHW070607050526
44396CB00007B/1424